« Mort à crédit » de Céline :
une naissance payée comptant

LE TEXTE RÊVE
*Collection dirigée
par
Jean Bellemin-Noël*

« Mort à crédit »

de Céline :

une naissance

payée comptant

JEAN-CHARLES HUCHET

Presses Universitaires de France

*A Edith ce retour
à Céline, en souvenir
de nos commencements.*

« C'est naître qu'il n'aurait pas fallu. »
(Mort à crédit)

ISBN 2 13 045780 0
ISSN 1150-3750

Dépôt légal — 1re édition : 1993, novembre
© Presses Universitaires de France, 1993
108, boulevard Saint-Germain, 75006 Paris

1. *Le commencement de la fin*

Sourde à la modernité de *Mort à crédit*, la critique entendit néanmoins l'essentiel : le second roman de Céline célébrait bien le commencement de la fin. La fin du roman autobiographique classique. La fin du premier volet d'une œuvre qui allait sombrer avec son époque dans la rage haineuse de l'antisémitisme, sans qu'on puisse préjuger que, toute honte bue, elle allait renaître autre, avant même que l'égarement collectif eût cessé. Céline n'en fit d'ailleurs pas mystère : « J'avais fini, vous comprenez, moi avec... après *Mort à crédit*, j'étais fini. » Une fin dont il convient de prendre la mesure et qui ne se confond pas avec la fin de la production célinienne : elle inaugure paradoxalement une voie nouvelle de l'écriture, dont témoignent les écarts stylistiques — phrase de plus en plus déstructurée, recours systématique aux trois points — qui sont devenus les instruments reconnus de la musique célinienne.

Mort à crédit manqua bien de « finir » son auteur. La rédaction du « monstre », comme l'appelait Céline, fut exténuante, une véritable épreuve physique où il faillit laisser sa santé :

> Je ne tenais plus en l'air ! J'ai dû rentrer ici ! [...] J'ai été à l'hosto me faire voir ! J'avais perdu onze kilos. Rien du tout ! Que de l'épuisement ! Je suis à bout ! [...] Je fignole la fin finale de mon monstre affreux. J'en ai encore pour huit jours ! Merde ! J'en ai dégueulé pas mal et pour de bon je vous assure ![1]

Au fur et à mesure que l'œuvre prend du poids, l'auteur s'allège, se vide. Ce singulier transfert pondéral relève de la physique du symptôme. Plus qu'aucun autre roman, *Mort à crédit* est un symptôme, un nœud de signifiants dont souffre et jouit l'auteur qui s'en découvre le sujet. C'est dire que la clef de l'allégement et des nausées réside dans les mots du texte, et que suivre la voie tracée par leurs échos sonores ou stylistiques constitue la seule voie d'accès à cette souffrance du sujet qui se révèle être aussi une impasse de l'écriture. La critique de *Mort à crédit* doit être une clinique, donc adopter le point de vue du symptôme, mais une clinique littéraire qui ne se satisfait pas d'un texte servant de palliatif à la douleur de vivre et qui préfère déchiffrer le symptôme comme un démêlé de l'écriture avec l'impossibilité qui la hante.

Même si le lecteur de *Mort à crédit* résiste mal à la tentation de souligner les convergences avec la biographie célinienne, le roman est à lire comme un roman de formation, le roman de la formation de Ferdinand enfermé entre papa et maman ou leurs substituts. Toute lecture d'inspiration psychanalytique encourt le risque d'un ressassement jusqu'à la nausée du scénario œdipien déplié par un roman où l'agressivité manifestée à l'égard du père appelle, en toute logique, un attachement à la mère... Céline fit jurer à Marguerite Destouches, sa mère, de ne jamais lire *Mort à crédit*; elle tint son serment et n'ouvrit jamais l'ouvrage. L'anecdote souligne qu'il ne fut pas écrivain à s'enchanter des bonheurs de l'intimité maternelle, qu'à l'inverse la mère est pour lui une croix à porter, une affliction qui, dès la naissance, hypothèque la vie, englue le désir et met la sexualité en impasse. Cette affliction s'illustre dans un fantasme de rétention utérine, d'accouchement inaccompli et revécu dans des situations inattendues qui inscrivent la mort au cœur de la vie. Il valait mieux que Céline tînt sa propre mère à l'écart de cette vérité inaudible pour elle. De même, l'agressivité à l'encontre du père ne saurait se lire comme l'expression d'une rivalité, mais plutôt comme un appel au Père, à un père qui résiste au « déculottage » entrepris par le roman, un père qui tienne le coup, éventuellement le coup de son meurtre, et lève enfin l'hypothèque pesant sur la naissance. Emprunté à la généalogie maternelle, le nom que l'écrivain s'est choisi a quelquefois égaré et trop souvent invité à froisser les dentelles maternelles, là où la question de l'impossible consistance du Père s'avérait susceptible de renouveler la vulgate œdipienne. La dédicace de *Mort à crédit* crypte d'ailleurs de manière significative l'enjeu du texte. On croit volontiers le texte adressé au seul Lucien Descaves, à l'auteur des *Sous-offs* qui avait vigoureusement soutenu *Voyage au bout de la nuit* au moment de l'affaire du Goncourt. N'en appelle-t-il pas plus secrètement au père mort, puisque le père de Lucien Descaves portait le même patronyme *(Destouches)* que son propre père ? Derrière l'hommage à l'ami se dissimule l'hommage à ce qui importe chez le père : son nom, qui dans *Mort à crédit* dévoile le calvaire de l'écriture.

Mais le roman familial de Ferdinand n'a d'intérêt que s'il se veut le roman familial de l'écriture célinienne, que si le père et la mère se donnent pour des conceptions refusées de l'acte littéraire, des modalités d'une rétention de l'écriture. Celle-ci doit s'arracher pour naître à une impossibilité dont elle reste à jamais hantée. Roman de formation que *Mort à crédit* — de formation à l'écriture entrevoyant sa fin dans son commencement.

2. *On bat une femme*

A l'instar du fantasme, la censure met en scène ce qu'elle prétend soustraire à la conscience, bonne ou mauvaise. Effrayé par l'obscénité de certains passages de *Mort à crédit*, Robert Denoël demanda à Céline leur suppression et la réécriture du texte de manière à ce que le roman ne parût pas adultéré. Céline ne consentit pas au ravaudage et préféra laisser paraître l'ouvrage avec des blancs[2] ; ils attirèrent inéluctablement l'attention de la critique, qui, comme le souligne le numéro de *Panurge* du 25 mai 1936, se sentit appelée « à remplir les blancs » tout en se demandant ce qu'il pouvait y avoir de pire que ce qui était déjà imprimé[3]. Ces déchirures dans la trame du texte en rajoutaient sur ce qui fait l'originalité de *Mort à crédit* : la prise en compte de la singularité sexuelle dans l'histoire du sujet. L'obscénité affecte dans la mesure où elle met en évidence l'irréductible singularité d'une jouissance qui entame la croyance de chacun en l'universalité de son propre mode de jouissance et où elle fait de la jouissance le chiffre du sujet dont le code, si l'on en croit le roman, ne peut être retrouvé que dans l'enfance. La nouveauté de *Mort à crédit* réside essentiellement dans la capacité qu'a le livre d'étalonner par l'écriture cette altérité et de ressaisir la particularité de chacun à partir du rapport qu'il noue depuis l'enfance à la question du féminin.

Les femmes de *Voyage au bout de la nuit* (Musyne, Lola, Molly, Madelon) actualisaient, à différents moments de la vie de Bardamu, une incapacité à aimer que *Mort à crédit* enracine dans l'enfance et dans une confrontation précoce à la féminité, dont l'énigme est scrutée à travers des figures de femmes contradictoires et complémentaires. Le rapport à la féminité est essentiel chez Céline parce qu'il reste intimement lié à la question littéraire, parce que la femme y devient l'emblème de la littérature dès lors qu'elle exhibe son sexe, comme en témoignerait l'épisode ultime du troisième délire de Ferdinand, où la Méquilibre, à la Comédie-Française, se met des vers en tête cependant qu'elle se rince la « craquouse » :

> La belle artiste « la Méquilibre », au fond de sa loge, s'acharne sur sa poésie... Elle a des vers plein l'esprit avant de paraître en scène. Elle se rince si fort la craquouse, qu'elle en trébuche... elle bascule au fond du foyer... Elle pousse un cri prodigieux... Le volcan a tout consumé... (593)

Dans son second roman, Céline « s'acharne » autant sur la poésie (« l'auteur lyrique, j'en suis un », clamera-t-il) et sur l'écriture que sur le corps féminin, réduit au foyer incandescent d'un sexe qui requiert qu'on se rince l'oeil pour éviter d'être consumé. *Mort à crédit* recherche l'équilibre impossible (le *m'équilibre*) entre la poésie et la sexualité et guette le moment où la première « trébuche », bascule dans la seconde et y rejoint son origine.

Les femmes de Ferdinand

A part la danseuse, dont le corps s'est mué en poésie, la femme est chez Céline dominée par la chair. Voyez la tante de Ferdinand, Hélène, « tout viande, désir, musique » (557), morte assassinée par un officier russe.

Voyez la Vitruve et sa nièce, Mireille, « de la fesse toutes les deux ». La Vitruve dactylographie les romans du narrateur, en égare à l'occasion des fragments dans son capharnaüm, en adultère la beauté par ses turpitudes. La Vitruve, c'est le féminin dans son animalité charnelle, privé de la beauté et de la grâce — « Elle est affreuse en tout Vitruve » — (516) qui ferait oublier une chair dont « l'odeur poivrée », destin des rousses et des animaux, lève le cœur. Celle dont le corps dissuaderait à jamais tout désir incarne justement la lubricité, une lubricité que la laideur va laisser sur sa faim :

> Le feu au cul comme elle avait, ça lui était difficile de trouver assez d'amour. A moins d'un homme saoul. Et en plus qu'il fasse très nuit, elle avait pas de chance ! De ce côté-là je la plaignais. (519)

Aussi, le soir venu, abandonne-t-elle les romans pour « tapiner » d'un palier à l'autre, ou pour guetter à la sortie du dispensaire un jeune blennorragique qui, après deux ou trois cafés-crème, « lui donne sa sève ». Même soulignée par le texte, la lubricité est une limite de la littérature, elle suppose une jouissance illimitée devant laquelle, découvrant l'impuissance de l'écriture à rejoindre l'excès féminin, le roman abandonne. L'impasse de l'écriture se trouve ainsi arrimée à la question de la jouissance.

Paradoxalement, cette lubricité de la Vitruve dénonce moins un excès qu'un trop peu de jouissance, un « pas assez » qui préfigure un « encore! ». D'une certaine façon, la Vitruve est une infirme de la jouissance, comme sa nièce « qui jouissait très difficilement ». Il n'est guère surprenant que Mireille soit « de la fesse », elle qui se réduit à une paire de hanches (« Fallait voir ses hanches ! Un vrai scandale sur pétard... », 519) montée sur un « cul étonnant », vouée dès l'enfance à faire « bander l'Internationale » et à débusquer les secrets plaisirs des autres. Une anomalie obère ce corps fait pour le plaisir des hommes :

un « nez solide, un tarin, sa vraie pénitence », « un vrai nez d'homme » qui semble greffer le *vit* qui consonne dans le nom de la *Vit*-ruve, justifier l'appétit du *rut* qui s'y anagrammatise et signer leur parenté. Il la condamne à « faire l'homme », à préférer les femmes, à faire le bonheur d'une contremaîtresse qui « l'avait déjà prise en ménage », et à évoquer avec Ferdinand la manière dont un godemiché peut déchirer le corps des femmes. Ce nez phallique la soustrait à la castration qui règle la jouissance et la voue à la perversion. La méchanceté inhérente au personnage vient compenser l'insuffisance de sa jouissance ; le débordement de paroles fielleuses, de « cancans bien moches » attachés à dévoiler les débauches sexuelles des autres (« ça parlait seulement que j'avais arrangé des partouzes avec des clientes du quartier », 530-531) tente de rémunérer les défaillances de sa jouissance.

Les deux figures féminines qui, à l'orée du roman, gravitent autour de Ferdinand adulte oscillent entre un « trop » et un « pas assez » laissant entendre que la jouissance, pour être singulière, est toujours inadéquate, décevante, et apparaît monstrueuse ou pitoyable à qui en recueille la confidence ou surprend la scène régissant son émergence.

Ces deux femmes, opposées et complémentaires, illustrent dès le prologue de *Mort à crédit* le paradoxe de la féminité sur lequel repose, d'une manière somme toute banale, l'imaginaire célinien. La Vitruve et Mireille réactivent des souvenirs et des expériences de l'adolescence et représentent en les synthétisant des femmes qui ont participé peu ou prou à l'éveil sexuel de Ferdinand.

La Vitruve notamment ressemble aux goules rencontrées autrefois. Lorsqu'elle guette les jeunes vénériens à la sortie du dispensaire, elle rappelle la cliente qui, affalée parmi les dentelles, dévoilait et offrait sa nudité au jeune Ferdinand venu livré un guéridon avec son père et lui proposait de la faire « reluire » cependant que le père était envoyé astiquer le meuble :

> La cliente elle veut me consoler. Elle verse son cognac à mon père. Elle lui dit comme ça : « Mon ami, faites donc reluire la tablette ! » [...] Elle retrousse son peignoir brusquement, elle me montre toutes ses cuisses, des grosses, son croupion et sa motte poilue, la sauvage ! Avec ses doigts elle fouille dedans... « Tiens mon tout mignon !... Viens mon amour ! ... Viens me sucer là-dedans !... » Elle m'invite d'une voix bien douce... bien tendre... comme jamais on m'avait parlé. (555-556)

Sa lubricité la rapproche encore de la Gorloge, une « nature » elle aussi, « dodue de partout », qui « avait des cuisses comme des monuments, des énormes piliers », « des rototos magnifiques... Ça débordait de son tablier » (658), qui se plaisait aux assauts brutaux d'Antoine, son commis, et qui séduisit Ferdinand pour lui dérober un bijou d'or dont il avait la garde en s'offrant à lui, nue, « la chose si volumineuse... ». En elle, comme chez la Vitruve, la chair déborde (« ça s'étale partout... C'est trop »), le sexe — cette fatalité du féminin — envahit tout, jusqu'à la nausée (« ça me débecte quand même »). La laideur de la Vitruve la rapproche encore d'Irène, l'épouse de Courtial, qui dissimule derrière une voilette son visage défiguré par une moustache. La sage-femme qu'elle fut, avant qu'un chirurgien lui fît une totale, réapparaît paradoxalement dans la vocation d'avorteuse de la Vitruve (« Son ambition c'était les avortements ») — une autre façon de débarrasser les corps féminins. Irène, c'est la Vitruve sans la lubricité, et les ovaires en moins. Les deux femmes partagent encore le même plaisir à dévoiler les saletés d'autrui : la Vitruve tient la chronique des perversions du quartier et Irène se plaît à révéler l'exhibitionnisme de Courtial (« C'est là qu'il s'exhibe ! ses organes !... Son sale attirail !... »). Insatisfaites ou à jamais privées de jouissance, elles incarnent une manière de savoir sur la sexualité privée de toute idéalisation, résolument ancrée dans une forme de perversion banalisée à force de généralisation. Pythies dérisoires de cette affaire sale qu'est pour Céline la sexualité.

Les jeunes femmes sont trop peu nombreuses dans l'enfance de Ferdinand pour que Mireille puisse raviver de manière significative le souvenir de quelques-unes d'entre elles. Le fait qu' « elle se méfiait des "mœurs" » la rapprocherait d'Hélène, la tante paternelle « devenue grue » et assassinée par un de ses amants. Son « cul étonnant » et ses « yeux de romance » rappelleraient davantage Nora dont le « pétard tendu, contenu, pas gros, ni petit, à bloc dans la jupe, une fête musculaire », fascinait Ferdinand et enfiévrait ses nuits anglaises. Ce « pot admirable » faisait oublier la douceur qui conférait une aura (une Nora?) au visage, la gracilité des mains qui captivait le regard, la vibration imperceptible du nez qui arquait délicatement la bouche pour lui conférer un charme indescriptible, bref tout ce qui concourait à estomper le corps, à effacer la femme au profit de la fée :

> Ses mains, c'étaient des merveilles, effilées, roses, claires, tendres, la même douceur que le visage, c'était une petite féerie rien que de les regarder. [...] Ses cheveux aussi, dès qu'elle passait devant la cheminée devenaient tout lumière et jeux ! ... Merde ! Elle devenait fée ! c'était évident. (726)

Dans la brève étreinte, qui met un terme à l'expérience anglaise, Ferdinand aura du mal à contenir la tempête de ces fesses dont le roulis le mettait auparavant au supplice (« J'ai les mains qui enflent tellement je lui cramponne les fesses ! Je veux l'amarrer ! », 769). La Vénus Callipyge se dérobera sans jouir et se transformera en folle, avatar de la fée devenue forme blanche enfuie, tachant le paysage (« Une blanche qui virevolte »), puis « petit carré blanc dans les vagues... emporté toujours plus... » (771) dans la mort où il se dissout. La fuite de Nora ampute la jouissance de Ferdinand (« Je reste là, moi, en berloque avec mon panais tendu », 770). Le « pétard » de Nora se dissout dans la brume et l'humidité anglaises ; « l'accordéon du fendu » de Mireille ne se prêtera qu'à la valse des coups de pied de Ferdinand. La folie, la perversion et la lubricité viennent représenter l'inadéquation de toute jouissance oscillant entre pléthore et insuffisance, égarée et toujours partielle. La jouissance est un avatar de l'impossible.

Mireille ressemble à Ferdinand et au « je » des entretiens et de la correspondance au fil desquels Céline a complété le roman biographique commencé avec *Mort à crédit*, confessant, par exemple à Milton Hindus, son goût des lesbiennes « bien appréciables à regarder et ne [...] fatiguant point de leurs appels sexuels ! Qu'elles se régalent, se branlent, se dévorent — moi voyeur — cela me chaut ! »[4] en des termes proches de *Mort à crédit* (« Je suis voyeur », 533). Mireille ramène à la mère de Céline, à une forme d'invalidité qui, plus encore que « sa jambe de laine », l'afflige : le défaut de jouissance (« Il faut dire qu'elle était d'un tempérament... elle ne jouissait pas de la vie quoi »[5]). Cette incapacité à jouir de la vie, commune à la mère et au fils, devient incapacité de jouir tout court, lorsque Céline l'évoque dans un contexte résolument sexuel :

> Moi, j'y suis entré toute ma vie dans les bordels, mais j'en suis sorti tout de suite [...] Je suis comme ça mal doué. Ma mère était comme ça. J'ai hérité d'elle ce tempérament bizarre qui consiste à ne pas être jouisseur du tout, de rien[6].

La mère obère la jouissance du fils non parce qu'elle l'arrime à jamais à sa propre jouissance, mais parce qu'elle est pour lui le signe d'une jouissance amputée, à laquelle le fils ne peut répondre que par le sacrifice de la sienne, en l'identifiant à un défaut et en méprisant l'excès incarné par la Vitruve. Il est significatif que la secrétaire lubrique ait deux filles : Angèle « une nature » et Sophie « la grande nouille » — rencontrées autrefois à Londres et que Mireille fait revivre dans le présent de la narration (« elle a le vice de toutes les autres, une vraie peau de vache, une synthèse », 517). L'hérédité assure le lien du manque et de l'excès, avers et envers de l'inadéquation de la jouissance ancrée dans le maternel. Céline repère le fait dans le report des générations, et lui confère sa dimension symbolique en adoptant comme nom d'écrivain le troisième prénom de sa mère[7] — celui qu'on n'utilise jamais mais qui relie à la grand-mère — Céline Guilloux — et permet de remonter plus avant vers l'origine. Ce pseudonyme assujettit moins l'écriture à la mère, comme on l'a si souvent dit, qu'il ne sert d'estampille au manque à jouir qu'elle représente, tout comme le boitillement du phrasé de l'écriture inventé par Céline dans *Mort à crédit* trouve un équivalent fictionnel dans la claudication de Clémence.

Fantasme et scène primitive

Le prologue du roman place les rapports entre l'homme et la femme sous le régime de la violence. D'une violence qui paraît lier plus sûrement que le simple commerce amoureux. Lorsque Ferdinand adulte entreprend de rendre visite à Gustin Sabayot pour obtenir son avis sur sa production littéraire, il est détourné de son chemin par la mère de la petite Alice qui, profitant d'une consultation médicale de l'enfant, exhibe sur ses cuisses les signes de la violence conjugale :

> Elle en profite, la vache, alors que je suis paumé dans sa crèche pour me consulter à son tour. C'est à cause des marques de torgnioles, qu'elle a plein les cuisses. Elle retrousse ses jupes, des énormes marbrures et même des brûlures profondes. Ça c'est le tisonnier. Voilà comme il est son chômeur. (514)

Les conseils une fois donnés, en pure perte (« Je suis sûr qu'ils recommencent à se battre. Je les entends qui gueulent »), Ferdinand renonce à son périple nocturne. La parole du médecin n'entame pas le lien violent qui soude le couple ; aucune thérapeutique ne saurait parer à la dysharmonie quasi structurale du rapport entre les sexes. Ce constat fait, l'échange littéraire (l'entretien avec Gustin Sabayot) perd toute pertinence : l'inanité de toute glose et de toute critique émerge à la lumière glauque qui éclaire ce voyage au bout de la nuit pour mieux enraciner l'écriture dans la faillite violente du couple, vicissitude littérairement féconde de l'échec du plaisir. La violence est l'étai qui soutient le rapport de l'homme et de la femme, le signe de l'impossibilité structurale dont il est affecté.

D'autres couples déclinent dans le roman différentes modalités de cette impossibilité. Ainsi celui formé par l'oncle *Ro*dolphe et *Ro*sine, égarés dans le moyen âge de carton pâte d'un pavillon de l'Exposition universelle, soudés l'un à l'autre par la syllabe initiale de leur nom. La « Ribaude » « crachait ses poumons »; au bout de trois mois, elle mourut, dans sa chambre, à l'hôtel du « Rendez-vous » :

> Il revenait chaque soir coucher à côté. C'est à l'infection qu'on s'est aperçu. Il est devenu alors furieux. Il comprenait pas que les choses périssent. C'est de force qu'on l'a enterrée. Il voulait la porter lui-même, sur « un crochet », jusqu'à Pantin. (559)

Le deuil impossible, caractéristique de la mélancolie, ne suffit pas à faire oublier que la mort constitue le seul rendez-vous qui dure, celui qui ne se manque pas et qui révèle la structure d'acte manqué du rapport amoureux. La mort violente permet au jaloux de tirer un voile définitif sur la lubricité supposée du partenaire, sur la jouissance hyperbolique qu'incarnent par exemple les deux hommes surpris chez Mme Cortilène :

> Un jour, il est revenu son jaloux à l'improviste. Il l'a retrouvée, la jolie, en discussion au premier avec deux Messieurs ; ça lui a donné un choc tel, qu'il a sorti son revolver, il a tiré sur elle d'abord et puis sur lui-même ensuite, une balle en pleine bouche. Ils sont morts dans les bras l'un de l'autre. (574)

Les deux anecdotes se réfléchissent l'une l'autre — comme les lettres de l'initiale des noms (*Ro* dolphe, *Ro* sine et *Cor* tilène) — pour faire de la mort la violence ultime régissant le rapport du couple, le moment où se révèle son défaut. Révélation d'une vérité que ni le symptôme mélancolique (Rodolphe) ni la mise en scène tragique et convenue des corps (les Cortilène) ne sauraient dénier.

Dans *Mort à crédit*, la violence reste inséparable de la sexualité. On dirait d'une part qu'elle matérialise l'excès de la lubricité, d'autre part qu'elle tente de parer à l'insuffisance de la jouissance en exhibant exclusivement sa composante perverse. Epopée brutale et burlesque, la copulation d'Antoine et de la Gorloge acquiert une valeur emblématique :

> Il était extrêmement brutal [...] Il déchirait les volants... Il déchirait tout... [...] Antoine il venait buter dur en plein dans le poitrail... chaque fois ça claquait... Ils s'agitaient comme des sauvages... Il pouvait sûrement la crever de la manière qu'il s'élançait [...] Il l'écoutait pas, il la requinquait à bout de bite avec trois grandes baffes dans le buffet... Ça résonnait dur... Elle en suffoquait la garce... Elle faisait un bruit comme une forge... Je me demandais s'il allait pas la tuer ?... La finir sur place ?... Il lui filait une vache trempe en même temps qu'il l'encadrait. (676-677)

Condition de la jouissance (« Ils rugissaient comme des fauves... Elle prenait son pied »), la violence ne s'exerce pas seulement à l'encontre de la femme, le burlesque se chargeant d'y soumettre l'homme :

> Dans sa fougue pour l'emmancher, il a dérapé du tapis, il est allé se cogner la tronche de travers dans le barreau du lit. Il fumait comme un voleur... Il se tâtait le cassis... Il avait des bosses, il décolle... Il s'y remet furieux. (*Ibid.*)

Prélude au déniaisage du narrateur par la Gorloge, cette scène — épiée à travers une imposte — définit l'aune à laquelle Ferdinand mesure l'insuffisance de sa propre agitation sexuelle (« je faisais l'amoureux, je grimpe, j'étreins, je grogne... Je me mets en branle comme Antoine, mais alors beaucoup plus doucement », 682) et d'un orgasme qui le fait moins « reluire » qu'il ne tente de le délivrer de l'étreinte de la goule. La victime supposée de la violence sexuelle l'exerce à son tour contre le narrateur (« C'est elle qui me maltraite, qui me tarabuste... »), à jamais condamné à la passivité, depuis l'expérience avec la cliente, que viendra confirmer la brutale et éphémère étreinte avec Nora :

> Elle me paume en trombe, d'un seul élan sur le page ! C'est bien ça !... Je prends tout le choc dans la membrure !... Je me trouve étreint dans l'élan !... congestionné, raplati sous les caresses... Je suis trituré, je n'existe plus... (769)

L'obscénité de ces passages étend la violence sexuelle au langage qui relate la scène. Elle secoue l'écriture, la violente, cherche à détruire la phrase pour retrouver le halètement de la Gorloge, le désir d'anéantissement qu'elle confesse :

> Ah ! Ah ! comme tu me crèves gros salaud... Crève-moi bien ! Crève-moi ! Tu vas manger ma merde ? Dis-moi oui ! Oh ! Oh !... Ah ! tu me défonces bien ! ... Ma petite vache ! ... Mon grand petit fumier !... (682)

Enracinée elle aussi dans la violence, l'écriture n'apparaît pas plus à même que la sexualité d'assurer la rencontre de l'homme et de la femme, de constituer le fondement d'une union apaisée. A l'inverse, elle s'emploie à mettre à nu l'impossibilité qui la mine.

La seule violence qu'exerce Ferdinand vise à punir la méchanceté de Mireille et à mater une féminité qui le défie (« Je lui refile une mornifle tassée... Elle ricane. Elle me défie », 534). La gifle prélude à une série de coups de pied aux fesses, punition somme toute légitime pour celle qui n'est qu'un « cul étonnant ». La correction se transforme bientôt en poursuite délirante de Mireille jusqu'à l'Arc de Triomphe, où une vieille Anglaise dénude la fille pour la brutaliser, cependant que la flamme de l'Arc monte en triomphe jusqu'au ciel et s'éparpille en pluie de feu, dont les hommes inondent leur braguette et dont les femmes font un bouquet qu' « elles se mettent ». Le récit a basculé dans le délire, qui s'est imposé à la place de la réalité de la fiction, sans rupture apparente, pour rechercher au-delà de la réalité une part de la vérité du rapport à la femme qui « jouit difficilement ». Comment lire cette scène qui, outre les deux autres accès délirants de *Mort à crédit*, préfigure les débordements de *Guignol's band*?

A l'époque où il rédige *Mort à crédit*, Céline subit l'influence de Léon Daudet et de son étude sur le rêve éveillé parue en 1926. Daudet entendait par « rêve éveillé » un amalgame de souvenirs fragmentaires et d'images inventées qui se superpose à la perception du monde extérieur sous l'effet de l'angoisse de mort. Les composantes hétéroclites du rêve éveillé sont structurées par un thème central afférent à la vie et à la mort. Les trois scènes délirantes de *Mort à crédit* relèvent de la théorie du rêve éveillé, notamment celle qui intervient dans l'enfance de Ferdinand et interrompt sa scolarité, où tous les personnages du Passage des Bérésinas sont convoqués, vivants et morts confondus, appelés à la même poursuite d'une cliente, gigantesque baudruche qui les attire hors du Passage et les y renvoie apeurés après s'être dégonflée... Le premier délire, enclenché par la correction infligée à Mireille, se structure bien, comme le veut la théorie de Daudet, autour d'un thème vitaliste, de cet excès de vie qu'est la sexualité. Le cortège, qui accompagne Ferdinand dans sa poursuite, n'est-il pas composé « de débauchés du Ranelagh », surgis des bosquets « leur panais en mains », de « dames retroussées derrière et devant » ? Néanmoins, le texte de Céline déborde ici la théorie qu'il prétend illustrer et rejoint, emporté par sa logique propre, un autre rêve éveillé, le fantasme, conceptualisé progressivement par Freud.

L'irrationalité de la scène du Bois de Boulogne évoquerait davantage un rêve qu'un fantasme, si elle ne faisait pas effraction sans crier gare dans la réalité du récit, si elle n'y prenait pas place, presque naturellement, sans référence à une situation particulière destinée à marquer son caractère onirique. Le délire célinien n'est pas seulement un assemblage d'images, c'est une scène, un récit qui n'oblitère pas la réalité mais la prend en charge. Quelque foisonnant qu'il paraisse — à l'image des débauchés venus du fond de la nuit (« des milliers à travers l'avenue ») — ce récit se compose de trois parties distinctes. La première évoque les violences exercées par Ferdinand contre Mireille :

> Mireille s'est mise à cavaler en poussant des glapissements. Alors moi je la course et je me décarcasse. Je lui balance des vaches coups de tatane à travers les fesses. (534)

La seconde suit la sarabande des débauchés, bientôt conduits par une vieille anglaise qui lacère le corps de Mireille :

> Arrivés à l'Arc de Triomphe, toute la foule s'est mise en manège. Toute la horde poursuivait Mireille [...] La vieille Anglaise bondit sur la môme, lui croche dans les seins, ça gicle, ça fuse, tout est rouge. On s'écroule, on grouille tous ensemble, on s'étrangle. (535)

La troisième enfin rapporte l'embrasement du ciel et des culottes par la flamme de l'Arc de Triomphe, et l'endormissement des débauchés les « uns dans les autres » sur la place de la Concorde en fusion :

> La flamme sous l'Arc monte, monte encore, se coupe, traverse les étoiles, s'éparpille au ciel... Ça sent partout le jambon fumé... Voici Mireille à l'oreille qui vient me parler enfin... « Ferdinand, mon chéri, je t'aime !... C'est entendu, t'es plein d'idées ! » C'est une pluie de

flammes qui retombe sur nous, on en prend des gros bouts chacun...
On se les enfonce dans la braguette grésillantes, tourbillonnantes. Les
dames s'en mettent un bouquet de feu... On s'est endormi les uns
dans les autres. (*Ibid.*)

Chacune de ces parties présente un caractère sexuel plus
ou moins accentué. Lieu d'investissement érotique de
Ferdinand, le « cul étonnant » de Mireille tente de se
dérober à une attaque *per anum* dont l'instrument (le
pied...) invite au déplacement métonymique et dont le
modèle est à rechercher dans l'enfance, dans la scène de
sodomie de la Gorloge par Antoine. La seconde partie
prolonge et élargit la discussion de Ferdinand et de
Mireille sur le ressort secret des amours saphiques :
déchirer le corps féminin (« Qu'elles se déchirent !
Qu'elles s'arrachent tout les salopes ! Que ça saigne autour
et partout ! », 534), mais inverse la victime et le bourreau,
dès lors que Mireille subit les violences de la foule alors
qu'elle morcelait des corps féminins dans la représenta-
tion sur laquelle s'appuyait son désir. Le jaillissement de
la flamme, son éparpillement dans le ciel et les éclabous-
sures ignées enfouies dans les braguettes se lisent aisé-
ment comme les moments d'un orgasme cosmique destiné à satisfaire Mireille et la foule des débauchés. Le
scénario du fantasme peut alors se réduire à un récit sim-
plifié, à une formule narrative à trois temps :

1er temps : « Je » viole(nte) analement Mireille (coups de pied aux
fesses).
2e temps : Mireille est viol(ent)ée par la foule conduite par la vieille
Anglaise (le morcellement du corps de Mireille).
3e temps : Mireille, « je » et la foule nous jouissons (l'orgasme de la
flamme dans le ciel).

L'attribution du délire à la fièvre dans la séquence sui-
vante, le soulignement de son caractère pathologique par
l'enracinement dans une folie liée à la guerre ne sauraient
suffire à dissimuler qu'il relève de la logique du fantasme,

d'une logique narrative rudimentaire mais irréductible. Le délire célinien prolifère et s'affiche d'autant plus qu'il s'entend à cacher ce qu'il est : un fantasme dissimulé derrière la profusion d'éléments hétérogènes et incongrus qui tendent à le verser dans le champ du rêve et s'offrent à l'interprétation pour mieux soustraire à la vigilance la formule qui le supporte. De ce point de vue, le texte littéraire obéit à la logique de la cure, où l'analysant raconte volontiers ses rêves pour conserver le silence sur ses fantasmes — sur le fantasme dont la syntaxe règle sa jouissance.

Réduire ce premier délire à sa formule narrative n'épuise pas sa signification, il reste à dégager sa fonction. Il répond par la négative à la question que Ferdinand soumet à la sagacité sexuelle de Mireille :

On a quitté ma belle Légende pour discuter avec rage si le grand désir des dames, c'est pas de s'emmancher entre elles... Mireille par exemple si elle aimerait pas bourrer un peu les copines ?... les enculer au besoin ?... surtout les petites délicates, les véritables gazelles ? (534)

Le délire livre le sens de cette violence exercée contre le corps féminin : elle cherche à en extraire ce qui suturerait le manque qu'il dévoile : « Dérouille-la bien ta gamine ! *Il va lui en sortir une !* » (*Ibid.*) encourage la foule des débauchés, relayée plus loin par la vieille Anglaise : « Tu vas lui crever l'oignon ! y aura du monde dans les étoiles ! *L'éternité va lui sortir !* » (535). Que l' « une » appelée à sortir soit aussi l' « éternité » confirmerait que la quête violente porte bien sur le phallus, dont la dimension de signifiant réglant le désir et la jouissance est située au-delà du corps, du corps féminin morcelé et anéanti. Aussi, comme dans les mystères ithyphalliques antiques, faut-il l'exhiber en majesté, le dévoiler, déchirer les robes. (« Toutes les robes étaient en lambeaux »), avant de mettre le corps en pièces. (« La vieille Anglaise bondit sur la môme, lui croche dans les seins, ça gicle, ça fuse, tout est rouge »). Ce troisième délire met en scène la dépendance à l'égard du phallus, lorsque le rouge du corps morcelé devient un nuage de sang qui se gonfle jusqu'à devenir une cliente gigantesque :

> D'abord j'ai vu tout en rouge... Comme un nuage tout gonflé de sang... Et c'est venu du ciel... Et puis il s'est décomposé... Il a pris la forme d'une cliente... Et alors d'une taille prodigieuse ! Une proportion colossale... Elle s'est mise à nous commander... Là-haut... En l'air... (586)

Même dilatée, elle n'est rien d'autre que le mystère de ses jupes gonflées par le vent, sous lesquelles « tous les voisins (l'humanité ?) comme des souris se précipitaient » pour contempler on ne sait quelle horreur : « A peine blottis, ils en rejaillissaient affolés... Ils retournaient encore se planquer dans les profondeurs... » (589). L'horreur ne surgit vraiment qu'à l'instant où la foule rassemblée découvre brutalement qu'il n'y a rien à contempler sous les jupes. Le phallus se réduit au point d'évanescence du corps, à l'affect d'angoisse saisissant une humanité qui se découvre orpheline des puissances qui la dirigent :

> Elle a retroussé d'un seul coup tous les volants de ses jupes... son pantalon... plus haut que la tête... jusque dans les nuages... Une vraie tempête, un vent si glacial s'est engouffré par-dessous qu'on en a hurlé de douleur... On restait figés sur le quai, abandonnés, grelottants, à la détresse... Entre le remblai et les trois péniches la cliente s'était envolée ! (591)

Ces jupes constituaient une véritable caverne d'Ali Baba ; elles recèlent les mille objets susceptibles d'accrocher le désir (« Parmi les volants, loin vers la doublure, je biglais encore mille trucs pendus. Toute la fauche du monde entier... », 590). Leur incertain trésor établit le lien entre le phallus et l'objet du désir, non pas à découvrir mais à retrouver, et pourtant à jamais perdu :

24

En galopant, il m'est retombé sur le cuir, ça m'a fait une bosse, le petit miroir « byzantin », celui qu'on avait tant cherché, pendant des mois rue Montorgueil... Si j'avais pu je l'aurais hurlée cette trouvaille... Mais j'aurais pas pu le recueillir tellement qu'on se pressurait déjà... (*Ibid.*)

Oriental ou non, le miroir n'est rien, rien d'autre qu'une aptitude à réfléchir l'image des objets, à les réduire à leur dimension imaginaire qui distrait le regard de l'inconsistance de l'objet du désir. Que le miroir de l'art et ses objets, comme le *Çakya Mouni*, prétendent le retrouver, il y aura toujours une femme pour assurer sa perte, dût-elle se dénuder. Ferdinand en fait l'expérience avec la Gorloge lorsque, ses ébats terminés, il découvre vide l'écrin que la poche de son pantalon avait offert au bijou oriental ciselé dans l'or. Le phallus est le vide que voilent l'art et les jupes des femmes : le troisième délire rapporté dans *Mort à crédit* légitime l'équivalence. La cliente gigantesque se gonfle à l'aide de dentelles dérobées à l'échoppe familiale (« De nos dentelles, la grande cliente elle s'en est fourré plein les manches », 587), qui ne laissent pas de renvoyer à « l'énorme tas de dentelles à réparer », au « fabuleux monticule qui surplombait toujours la table » maternelle et que Céline n'a eu de cesse de reconstruire sur sa table d'écriture : « J'ai comme elle toujours sur ma table un énorme tas d'horreurs en souffrance que je voudrais rafistoler avant d'en finir. »[8] La dentelle trame le vide au sein de l'œuvre d'art ; elle offre la seule possibilité de capter, dans l'interstice ménagé par le nouement du fil, le vide à travers lequel s'appréhende le phallus. Il n'est pas inutile de rappeler, même si cela a été ressassé à l'envi, que l'écriture de Céline est sans cesse obsédée par l'image de la dentelle, qu'elle s'emploie à ménager le vide en son sein à l'aide des fameux trois points qui espacent ses unités constitutives. Le fil dévidé des dentelles conduit à Mme Héronde, la raccommodeuse, « fée » transformée en araignée tapie au fond de sa cabane, au bout de la nuit, aveugle à force de « rafistoler des "entre-deux" minuscules, des toiles d'araignées » (547); l'arai-gnée « morte en couches » court pourtant le long du fil du texte et rejoint, dans le troisième délire de Ferdinand, l'araignée qu'est la mère lorsqu'elle relève ses jupes à l'instar de la gigantesque cliente :

> Ma mère retroussait ses jupes... Mais elle courait de moins en moins vite... à cause de ses deux mollets... qu'étaient devenus soudain plus minces que des fils... et poilus en même temps... qu'ils s'emmêlaient l'un dans l'autre... telle une araignée... (591)

On se doutait qu'il n'est de phallus que celui qui se cache sous les jupes maternelles et dont la dentelle fragile et infiniment complexe du texte délirant essaie d'enserrer le vide. Phallus dont le fantasme règle les épiphanies.

Le « Ferdinand, mon chéri, je t'aime » qui conclut le délire permet de dégager une autre fonction du fantasme. Il vient signifier, par la satisfaction qu'il suppose, que le « grand désir des dames » n'est pas de « s'emmancher entre elles » mais plutôt d'être soumise à l'homme, notamment celles qui, à l'instar de Mireille, font l'homme. Le fantasme normalise le rapport amoureux. A la jouissance perverse de la tribade qui morcelle le corps et cherche à l'anéantir faute de trouver la satisfaction, il substitue un « je t'aime » comblé. Le fantasme fait jouir celle qui ne jouit pas ou difficilement. Pour ce faire, il déploie la fiction d'un orgasme cosmique dont la magnifi-cence rassure le narrateur sur sa virilité, guérit l'asthénie des sexualités en mettant le feux aux braguettes et aux « bouquets » féminins. Le fantasme relance ainsi l'élan sexuel vital et maintient la croyance en l'union de l'homme et de la femme; une fiction pare à l'impossibilité de la conjonction sexuelle. Le scénario fantasmatique du délire supplée à la jouissance défaillante, celle du « je »

« mal doué » et, par le jeu de l'équivalence des personnages féminins, celle de la mère. Faire jouir la mère n'a rien à voir avec un acte quelconque, cela s'entend comme la réponse apportée par le délire à l'insatisfaction maternelle dont les sempiternelles doléances adressées à la vie constituent le symptôme le plus patent au sein du roman. L'originalité de Céline consiste à rendre pathologique après coup cette réponse en évoquant le paludisme et ses symptômes, à trouver un régime fictionnel particulier qui vienne parasiter et dérégler le récit, qui le pousse à basculer dans l'enfance à la recherche d'une cause dont l'énonciation se dérobe pour mieux être approchée dans la tonalité propre de l'écriture.

Si le délire prend en charge la normalisation de la jouissance, c'est qu'elle est résolument placée sous le signe de la perversion que le pessimisme banalise mais n'omet pas de souligner. La perversion célinienne est petite, triste, elle porte les couleurs atones de l'existence. Elle ne possède pas le flamboyant bavard de la perversion sadienne, elle n'est convoquée que pour servir de toile de fond sur laquelle inscrire l'impossible union sexuelle, pour produire les quelques histoires sales dont l'obsessionnel se sert pour faire de la sexualité une sale affaire. Le narrateur n'est pas différent de la Vitruve qui « jugeait bas, [qui] jugeait juste », qui derrière le viol d'un petit pâtissier par « un Sidi monté comme un âne » cherche le consentement à la violence et la jouissance qu'en tirent victime et bourreau : « Je l'ai vu moi le cogne par la persienne ! Ils prenaient leur pied tous les deux ! Le gros et le petit c'est le même os !... » (526).

Mort à crédit décline ainsi les différentes modalités de l'impasse de la jouissance, la repère là où l'on s'attendrait le moins à la voir éclore, dans le symptôme par exemple. Médecin comme le narrateur, avec lequel il entretient un lien de parenté, Gustin Sabayot sait que le symptôme délivre un message, qu'il est à la fois un signe sur l'impossibilité de vivre (« Tu les crois malades ?... Ça gémit... ça rote... ça titube... ça pustule [...] S'ils viennent te relancer c'est d'abord parce qu'ils s'emmerdent », 521) et une demande. Une demande qui requiert moins l'interprétation qu'elle n'appelle une fiction qu'on tirera de l'affliction du malade et dont on le distraira de son impossibilité à vivre :

> Ce qu'ils veulent c'est que tu les distrayes, les émoustilles, les intrigues avec leurs renvois... leurs gaz... leurs craquements... que tu leur découvres des rapports... des fièvres... des gargouillages... des inédits ! Que tu t'étendes... que tu te passionnes... (*Ibid.*)

Le patient ne souffre jamais assez car il tient à son symptôme (« Ils la garderont leur chaude-pisse, leur vérole, tous leurs tubercules. Ils en ont besoin ! » *Ibid.*), car le symptôme est ce qui le tient par une jouissance qu'il ignore, juste perceptible à la peine que se donne le médecin et à l'art de la fiction qu'il déploie. Aussi le patient jouit-il de l'impossible dont il se plaint ; il n'entend pas en être délivré : le symptôme et les fictions qu'on en tire soutiennent sa vie :

> Mais si tu te donnes assez de mal, si tu sais les passionner, ils t'attendront pour mourir, c'est ta récompense ! Ils te relanceront jusqu'au bout. (*Ibid.*)

Ainsi, « le dossier 34 », l'employé aux lorgnons noirs qui va « attraper sa chtouille tout exprès, chaque six mois, cour d'Amsterdam, pour mieux expier par la verge », « client bien ponctuel [...] toujours heureux de [...] revenir » (528), jouissant davantage de sa souffrance que du corps qui la lui procure. Comme la perversion, la jouissance du symptôme verrouille l'impasse de la vie sexuelle.

Le goût pour la sodomie s'inscrit dans le paradigme qui décline les modalités de cette impasse sexuelle. Il ramène à nouveau à la Gorloge et à Antoine. Le séjour de Ferdinand chez les Gorloge offre trois scènes sexuelles : les deux premières sont consacrées aux ébats de la patronne et de son ouvrier, la dernière au déniaisage de Ferdinand. Les unes sont épiées à travers un vasistas et prennent par là un caractère fantasmatique, l'autre est vécue par le narrateur. Le voyeurisme, revendiqué par Céline dans sa correspondance, est ici délégué à un double, le petit Robert, « voyeur par instinct » qui initie le narrateur à l'art de guetter au trou le mystère féminin :

> Quand on s'est connu davantage, c'est lui qui m'a tout raconté. Il m'a montré son système pour regarder par les gogs, pour voir les gonzesses pisser, sur notre palier même, deux trous dans le montant de la porte. Il remettait des petits tampons. Comme ça, il les avait toutes vues, et Madame Gorloge aussi, c'était même elle la plus salope, d'après ce qu'il avait remarqué, la façon qu'elle retroussait ses jupes... [...] Il me promettait de me la montrer et une chose encore bien plus forte, un autre trou qu'il avait percé, alors absolument terrible, dans le mur même de la chambre, juste près du lit. Et puis, encore une position... En escaladant le fourneau... dans le coin de la cuisine, on plongeait par le vasistas, on voyait alors tout le plumard. (667)

La maison se voit ainsi transformée en « panoptique » destiné à répondre aux exigences de la pulsion scopique lorsque la main n'apporte pas le secours de satisfactions plus immédiates. Les deux scènes d'ébats de la Gorloge forment un diptyque, car elles se complètent, la seconde donnant à voir autrement ce qui avait été soustrait au regard dans la première. Celle-ci présente, avec la verve épique que l'on sait, un coït « normal » et l'autre décrit une scène de sodomie. Le dispositif est construit de manière à mettre sous les yeux, avec une impudeur extrême, pour mieux dérober à la vue ce qu'il vise. Les deux voyeurs n'assistent pas au spectacle jusqu'à son terme ; saisis par la peur, ils y renoncent :

> Ils en rugissaient en fauves... Elle prenait son pied... Robert il en menait plus large. On est descendus de notre tremplin. On est retour-

> nés à l'établi. On s'est tenus peinards. On avait voulu du spectacle…
> On était servis !… Seulement c'était périlleux… Ils continuaient la
> corrida. (677)

Née de la violence de l'attaque d'Antoine, la peur fait
néanmoins l'économie de la fin du spectacle. Elle sauve la
possibilité d'une union sexuelle « normale » que suppose
le contentement lu sur le visage des deux belligérants
(« Ils sont ressortis tout contents »), mais que dément
rapidement la lassitude d'Antoine (« Antoine d'ailleurs, il
se dégonflait, il allait plus si fort au cul, il s'essoufflait
pour des riens… Il s'y reprenait en dix fois… », 678) et des
spectateurs (« Ça nous faisait aussi moins d'effet »).
Comme le fantasme, la scène épiée sauve l'union sexuelle ;
elle en maintient la fiction en détournant le regard à l'instant où il aurait pu saisir son défaut. La scène de sodomie
est, elle, conduite jusqu'à son terme :

> Ils ont pris un pied terrible… Ils poussaient des petits cris stridents.
> Ils se sont écroulés sur le flanc. Ils se sont raplatis…. Ils se sont foutus
> à ronfler… C'était plus intéressant… (*Ibid.*)

La sodomie assure l'apaisement et réalise la promesse de
l'union guettée à travers le vasistas. Seul ce que Céline
appelait le « vice » paraît capable, sinon de suppléer effi-
cacement à l'échec du plaisir sexuel, du moins de permettre de vivre avec, voire d'en tirer quelque satisfaction, comme le rappelait le Dr Destouches à Erika
Irrgang :

> Devenez franchement vicieuse sexuellement. Cela aide beaucoup et
> libère du romantisme, la pire des faiblesses féminines et surtout des
> faiblesses allemandes. Apprenez à faire l'amour « par derrière ». Cela
> aide énormément à contenter les hommes sans risques aucun. Devant
> est une plaie. Attention ! Mille fois attention[9].

Le Ferdinand de *Mort à crédit* se souviendra de la
leçon et l'enseignera à Agathe, la bonniche de la « Grosse

Boule », à Saligons-en-Mesloir, où avec Courtial il oublie son exil campagnard :

> A la bonniche, la dure Agathe, je lui ai appris comment faut faire, pour éviter les enfants... Je lui ai montré que par-derrière, c'est encore bien plus violent... Du coup, je peux dire qu'elle m'adorait... Elle me proposait de faire tout pour moi... Je l'ai repassée un peu à Courtial, qu'il voye comme elle était dressée ! Elle a bien voulu... Elle serait entrée en maison, j'avais vraiment qu'un signe à faire... (1003)

L'initiation de la « dure Agathe », double de Mireille, doté d'un « cul presque carré tellement qu'il était fait en muscles » (1002), confirme le sens sexuel qu'il convient d'accorder aux « vaches coups de tatane à travers les fesses » généreusement alloués à Mireille au Bois de Boulogne et sur le sens de la satisfaction couronnée par le « Ferdinand, mon chéri, je t'aime » soupiré à l'Arc de Triomphe. La sodomie contente les hommes, attache les femmes en répondant à leur lubricité, satisfait à la violence inhérente à la sexualité, bref elle a tout pour assurer le lien sexuel. Bénéfice supplémentaire : elle permet d'éviter la « grosse boule » et aux saligauds de se mêler, notamment en ce lieu emblématique qu'est Saligons-en-Mesloir, et dispense de ces injections vers lesquelles se précipite la Gorloge, et des injecteurs qui encombrent le capharnaüm de la Vitruve et de Mireille. Banal moyen de contraception, la sodomie met à l'abri d'une naissance, du rappel de l'horreur d'être né.

L'obscénité de certains passages et la franchise impudique concernant la sexualité du narrateur et des autres personnages contrastent avec le silence entourant la sexualité des parents. Il est surprenant que la propension de Ferdinand au voyeurisme ne se soit pas exercée en direction de l'intimité des parents, à moins que les scènes épiées ne constituent l'écran sur lequel se (re)compose la scène primitive oblitérée ou manquante.

Mort à crédit présente trois scènes épiées : le diptyque

déjà commenté rapportant les ébats d'Antoine et de la Gorloge et la tentative de surprise des Merrywin en train de copuler :

> Avant de quitter le Meanwell, j'aurais voulu la voir la môme, quand elle travaillait son vieux... Ça me rongeait... ça me minait soudain de les admirer ensemble... ça me redonnait du rassis rien que d'y penser. Ce qu'il pouvait faire alors ? [...] Comment qu'ils baisaient. (754)

Même si cette dernière scène ne révèle qu'un Merrywin seul, avachi, ivre, à moitié nu, n'enfilant qu'un bilboquet, elle n'entretient pas moins quelques discrets et ironiques rapports avec les deux précédentes. Empêtré et ligoté par la ficelle du bilboquet, Merrywin n'est pas sans faire penser à Antoine se prenant les pieds dans le tapis, qui dans sa nudité a gardé ses chaussons, comme lui son caleçon. L'un fumait de rage (« Il fumait comme un voleur »), l'autre rôtit (« Il est étalé tout épanoui devant son feu... Il en est même tout écarlate! Il souffle tellement qu'il a chaud [...] Il est embrasé dans les lueurs » 755); l'un tape à la louche dans un pot de beurre pour beurrer « le trésor » de la Gorloge, l'autre « fonce à la grosse louche » dans un pot de marmelade et « s'en fout partout »; l'un et l'autre « reluisent », chacun à leur manière... La troisième scène s'évide de la figure féminine, la jouissance de l'homme repu s'y affiche solitaire; elle déçoit l'attente de la vision d'un acte sexuel susceptible de fonder dans la réalité le rapport de l'homme et de la femme. La scène épiée demeure chez Céline décevante, elle élide ce que le regard prétendait embrasser et renvoie à l'absence de ce qu'elle ambitionnait de susciter.

Au-delà, Antoine et Merrywin illustrent l'évolution psychologique du père au cours du roman. La fureur d'Antoine rappelle les innombrables colères du père, Auguste, écumant, fumant de rage (« Il sifflait, soufflait tellement la vapeur, qu'il faisait un nuage entre nous »), mais l'avachissement de Merrywin préfigure la déchéance du père, « dégonflé », « ratatiné de toute la tronche » à la fin du roman. De même, Antoine et Merrywin empêtrés, qui dans le tapis, qui dans la ficelle du bilboquet, renvoient encore au père, lié à sa machine à écrire (« Comme il farfouillait dans ses touches, comme il s'empêtrait dans les tringles... », 779), objet d'une violence identique à celle que subit la Gorloge (« Il tapait dessus comme un sourd... Il crevait des pages entières... »). Au fil des associations, se dessine une manière d'équivalence entre les personnages autorisant à se demander si les ébats épiés de la Gorloge et d'Antoine ne renvoient pas à ceux des parents, ne donnent pas à voir, au prix d'un déplacement, ce que le texte prétendait dérober. La violence d'Antoine (« Il lui filait une vache trempe en même temps qu'il l'encadrait »), c'est celle du père que le récit d'enfance présente exclusivement tournée vers le narrateur, mais que le prologue assure dirigée contre la mère bien que cette dernière s'emploie à la dissimuler avec la même pudeur que sa sexualité :

> Elle lui raconte pas les assiettes qu'il lui brisait sur le cocon... Non ! [...] Ma mère raconte pas non plus comment qu'il la trimbalait, Auguste, par les tifs, à travers l'arrière-boutique. (540)

Lorsque chaque scène sexuelle se trouve placée sous le signe de la violence n'est-on pas fondé à se demander si chaque scène de violence entre un homme et une femme n'est pas une scène sexuelle, si les ébats brutaux d'Antoine et de la Gorloge n'occupent pas la place de ceux des parents, ne représentent pas l'irreprésentable de la sexualité parentale. Dès lors, la scène épiée avoue son lien à la scène primitive et le caractère fantasmatique de cette dernière dont le scénario ménage toujours une place afin que le sujet regardant puisse se voir acteur, comme en témoignerait l'initiation sexuelle par la Gorloge qui suit immé-

3. *Un souvenir d'enfance de Ferdinand*

Le délire célinien fait écran, sa profusion narrative fascine l'attention du lecteur afin de l'aveugler sur la vérité d'une jouissance qui soit enferme dans le tête-à-tête douloureux du symptôme, soit n'ouvre à autrui que pour le détruire. Point commun des trois délires rapportés par *Mort à crédit* et fil rouge de leur tissu fantasmatique, la violence exercée contre le corps féminin, dans la mesure où elle est médiatisée par une interrogation portant sur l'histoire du sujet, vise à résoudre une énigme qui intéresse la structure régissant l'être sexué. Comment l'approcher si le fantasme qui en signale la proximité la dérobe dans le même temps ?

Dans le premier délire du prologue, destiné à corriger et à faire jouir Mireille, la mention d'une vieille Anglaise acharnée à morceler le corps de la jeune femme attire l'attention : elle sort de l'anonymat de la foule pour exhorter Ferdinand à fustiger l'effrontée :

> Une vioque, une Anglaise d'une petite automobile sortait la tête à se démancher, elle me gênait même pour que je travaille... Jamais j'avais vu des yeux si heureux que les siens... « Hurray ! Hurray ! Garçon magnifique ! » qu'elle me criait en plein élan... « Hurray ! Tu vas lui crever l'oignon ! [...] La vieille Anglaise bondit sur la môme, lui croche dans les seins, ça gicle, ça fuse, tout est rouge. (535)

Dans la logique du roman importe plus particulièrement le signifiant *vieille Anglaise*, dans la mesure où il rameute les souvenirs des expériences anglaises de Ferdinand. Quelle violence rappelle-t-il et déplace-t-il pour en abréagir la douleur ?

L'Angle-terre

L'Angleterre occupe une place importante dans l'imaginaire célinien. Le projet initial de *Mort à crédit* prévoyait l'évocation du séjour à Londres durant la première guerre mondiale, qui alimentera *Guignol's band. Mort à crédit* n'a conservé que la relation d'un bref voyage d'une journée à Brighton et des quelques mois passés, en 1909, dans deux collèges, à Rochester et à Ramsgate, qui ont servi à créer le Meanwell College.

La *vieille Anglaise* renvoie à l'époque lointaine du premier voyage en famille. Excursion d'une journée plus que voyage, à partir de Dieppe où Ferdinand se refaisait une santé en compagnie de sa mère. Le nom du port normand fonctionne comme un appel *(Dis hep!)*, appel au père, venu de Paris à bicyclette pour l'occasion, et à la mémoire prise en charge par l'écriture. Le récit de l'excursion se déroule en deux temps : la traversée — évocation épique d'une humanité saisie par la nausée — et la marche vers Brighton, sous des bourrasques de pluie diluant le paysage. L'escapade ratée laisse la famille épuisée et met un terme aux vacances. Cet épuisement se réduit-il à la fatigue d'une traversée mouvementée et d'une marche sous la pluie ?

Le signifiant *anglaise* condense deux éléments renvoyant à la violence subie par la mère lors de cette marche forcée vers Brighton, à l'*angle* et à la *glaise*. A l'angle fait par la jambe maternelle douloureuse lorsqu'elle se dérobe sous elle (« Ma mère alors sa jambe se replie... Elle cède une fois sous son poids... », 627). A la glaise, à « la fange épaisse », à la terre dans laquelle elle s'enfonce (« Elle verse dans le creux du talus... Sa tête est prise, est coincée... Elle pouvait plus faire un mouvement... ») et où elle va mourir (« Maman succombait à l'envers »). Au prix d'un effort du père et du fils, elle pourra revenir à la vie :

> Je tirais dessus à toute violence. Je faisais des tractions. En vain !...
> [...] Nous faisons ensemble des efforts... On hisse tant et plus. On l'ébranle. On l'extirpe de la fange épaisse... (*Ibid.*)

L'*angle* et la *glaise* chiffrent dans le délire de Ferdinand adulte le souvenir d'une scène d'enfance où le supplice maternel prit une originalité mémorable. Clémence ne cesse de traîner la jambe dans le roman, d'offrir le spectacle d'une jambe raide, étique ou gonflée d'abcès purulents : « Elle m'a fait voir toute sa jambe... La chair était toute plissée comme enroulée sur un bâton, à partir du genou... et jaune, avec des grosses croûtes et puis des places où ça suintait » (909). S'y concentre toute la répulsion pour le corps maternel. Périodiquement, la mère exhibe avec impudeur sa souffrance au fils (« Elle me l'a montrée pour moi tout seul »), l'enfermant dans une sinistre intimité. Habituellement rigide (« Sa cuisse avec son mollet, à force de souffrir, ils étaient raides et soudés, ça lui faisait plus qu'un seul os avec l'articulation. On aurait dit un bâton », 777), la jambe se trouve brusquement repliée au cours de l'excursion anglaise. Associé à l'extraction difficile du corps de la fange et au halètement de la mère (« Elle soufflait comme une vieille chienne »), ce détail semble esquisser une autre scène dont la clef a peut-être été livrée dans le récit de la traversée vers l'Angleterre.

Hallucinant morceau de bravoure que cette scène, placée sous le regard du père impavide, où les passagers vomissent les uns sur les autres, échangent leurs salissures au gré des secousses du bateau. La mère donne le *la* à cet étrange concert de borborygmes, de haut-le-cœur et d'efforts douloureux des estomacs révulsés et secoués par le tangage du bateau. Il ne s'agit pas là d'extraire un corps mais d'extraire du corps, de faire haleter la phrase de manière à ce qu'elle donne à entendre la houle qui le torture et cherche à tout prix à en évacuer quelque chose. Le supplice de la mère ne peut être parfaitement élucidé que si un tiers anonyme le prend en charge, au prix d'une comparaison qu'impose une simple juxtaposition d'acteurs :

> Un passager implore pardon... Il hurle au ciel qu'il est vide !... Il s'évertue !... Il lui revient quand même une framboise !... Il la reluque avec épouvante... Il en louche... Il a vraiment plus rien du tout !... Il voudrait vomir ses deux yeux... Il fait des efforts pour ça... Il s'arc-boute à la mâture... Il essaye qu'ils lui sortent des trous... Maman elle, va s'écrouler sur la rampe... Elle se revomit complètement... Il lui est remonté une carotte... un morceau de gras... et la queue entière d'un rouget... (623)

S'arracher les yeux ou aller chercher au fond des entrailles féminine une carotte et une queue de rouget n'équivaut-il pas au morcellement du corps rêvé par la tribade Mireille, à la production déjà mentionnée du phallus ? Mais l'effort de Clémence s'éclaire d'un sens nouveau lorsqu'elle s'exclame à l'adresse du père : « Occupe-toi de l'enfant, Auguste ! », tandis que Ferdinand fait sien cet effort (« Nous refaisons l'effort ensemble. Bouah !... et Bouah ! ») et semble assister au spectacle de sa propre naissance avortée à travers ce corps convulsé qui cherche à évacuer les bribes d'un festin ancien. La scène des vomissements semble l'équivalent hallucinatoire d'une naissance impossible[10], d'une rétention maternelle qui n'a libéré que des fragments, des restes de corps et a donné à la naissance des allures de fausse couche. Le fils « se vomit », essaie de s'extraire, de vider son propre corps pour s'extirper du corps où il se sent à jamais retenu et fragmenté. Le corps célinien fuit faute de pouvoir fuir de cette matrice dont il reste prisonnier. Les vomissements précèdent souvent le délire, ce dernier venant faire écran à la saisie de la vérité dont le symptôme dit l'insupportable proximité. La fièvre, cause à laquelle le délire se trouve rapporté, constitue une élévation d'énergie qui renvoie à une contention de la tête perceptible à sa démesure presque monstrueuse :

> Arrivé à la boutique, j'en finissais pas de vomir. Il m'est monté dans tout le corps de telles bouffées de fièvre, un afflux de chaleur si dense, que je me croyais devenir un autre. C'était même assez agréable si j'avais pas tant dégueulé [...] Le mal s'est encore empiré. J'en ai rendu plein une cuvette [...] J'ai toujours eu la grosse tétère, bien plus grosse que les autres enfants. Je pouvais jamais mettre leurs bérets. Ça lui est revenu d'un coup à maman, cette disposition monstrueuse... à mesure que je dégobillais... (586)

Dimensions de la tête empêchant l'enfant de sortir... A l'âge adulte, les symptômes de l'enfance perdurent. Le feu orgasmique qui couronnait l'union avec Mireille n'était que l'ébullition de la tête surchauffée par la fièvre (« Ça me faisait bouillir dans mon plume de me représenter ces salades, je suintais de partout comme un crapaud... J'en étouffais... je me tortille... je me démène encore... », 538). La tête se souvient par le symptôme d'une première asphyxie et de son impuissance à trouver une sortie en dépit de l'effort du corps, avant que le délire — affrétant un bateau dans le ciel de Paris — ne la libère de ses réminiscences. En prenant pour cible la jambe maternelle (« J'y vois son mollet décharné comme un bâton, pas de viande autour, le bas qui godaille, c'est infect! [...] Je dégueule dessus un grand coup... », 543), les vomissements désignent leur cause en cette jambe qui n'a pas su se plier, s'ouvrir selon le bon angle afin de livrer le passage à un corps d'enfant. Pliure qu'assure l'excursion en *Angle-terre*, en prélude à une extraction laborieuse mais réussie d'un corps.

Le mouvement de traction et d'extraction n'intéresse pas seulement la mère, il structure également le sauvetage de Ferdinand qui manqua de se noyer à Dieppe et qui fut arraché à la mer. Le bain est avant tout l'expérience d'un renversement, d'un retournement dans un milieu aquatique (« C'est la tête qui branle d'abord, qui porte, bascule, pilonne au fond des graviers », 621), puis d'une projection avortée d'un corps aux pieds de la mère et d'une rétention (« Puis ça me ramène encore, projeté gisant aux pieds de ma mère... Elle veut me saisir, m'arracher... La succion me décroche... M'éloigne... Elle pousse un horrible cri » *Ibid.*). Abandonné à demi asphyxié sur la grève, le corps est vigoureusement frictionné puis (r)habillé dans des peignoirs qui exercent une contention aussi forte que les langes enserrant un nouveau-né :

> Une bouée m'étrangle... On me hale sur les rochers... tel un cachalot... Le vulnéraire m'emporte la gueule, on me recouvre d'arnica... Je brûle sous les enveloppements... Les terribles frictions. Je suis garrotté dans trois peignoirs. *(Ibid.)*

Autant de mouvements qui ne laissent pas d'évoquer un accouchement difficile, qui se remémorent le souvenir de la houle du corps douloureux de la parturiente ne pouvant ou ne voulant pas lâcher l'enfant en train de s'asphyxier (« Une bouée m'étrangle ») et ramènent à une naissance traumatique dont le texte, par bribes et à l'insu de son auteur, accrédite l'hypothétique vérité. Céline ne fit jamais la moindre déclaration à ce sujet, sauf peut-être dans *D'un château l'autre* où il voit en tout nouveau-né un asphyxié : « Les premiers cris... le premier cri !... tout gras et glaires... mon affaire !... les toutes petites tronches, écarlates, bleues, strangulées déjà !... » (II, 96). *Mort à crédit* se souvint à sa place, ou soutint la logique qui avait placé en 1924 l'entrée en écriture sous le sceau d'une naissance marquée par la mort, lors de la rédaction de la thèse de médecine consacrée à l'obstétricien hongrois Semmelweis.

Il ne faudra pas s'étonner si, à l'instant où Ferdinand devenu adolescent monte dans le train pour l'Angleterre, la mère ne résiste pas à la tempête d'un chagrin qui nous ramène avec elle à la plage de Dieppe, aux bourrasques de l'excursion vers Brighton, à une débâcle déjà vécue du corps d'où sortirait enfin quelque chose, sans retenue :

> Ça la trempait à l'avance les séparations. Ça la retournait tout entière, une terrible tornade, comme si son âme lui serait sortie du derrière, des yeux, du ventre, de la poitrine, qu'elle m'en aurait foutu partout, qu'elle en illuminait la gare. Elle y pouvait rien... (703).

L'effusion maternelle prolonge la rétention initiale; elle suscite le même affect d'angoisse auquel s'ajoute une curiosité portant sur son origine :

> Je me suis tiré de son étreinte, j'ai sauté sur le marchepied, je voulais pas qu'elle recommence. J'osais pas l'avouer, mais quand même au fond, j'étais encore comme curieux... J'aurais bien voulu connaître jusqu'où elle pouvait aller dans les effusions !... Au fond de quelles choses dégueulasses, elle allait chercher tout ça !... *(Ibid.)*

Croyant accéder à la vie en se libérant de cette étreinte, Ferdinand court vers le pays où ne cesse de se rejouer le drame d'une naissance entravée. Plus tard, dans *Guignol's band II*, l'Angleterre sera encore la promesse d'un enfant à venir, celui de Virginie, que le roman avorté ne laissera pas naître[11].

L'illumination de la gare à l'instant du départ de Ferdinand vers l'Angleterre ressuscite Brighton, *Bright-town*, la « ville qui brille », la ville lumière dont le nom clignote et tente d'orienter sans succès la famille désemparée à sa sortie du ferry. La marche vers Brighton est une quête de la lumière, une tentative de traversée d'un milieu amniotique généralisé au paysage tout entier, à un paysage où les différences se trouvent abolies, où le ciel, la terre et la mer se confondent liquéfiés par la pluie (« l'Océan grondait, au fond du gouffre, rempli de nuages et d'éboulements », 626). Traversée de la matrice liquide du monde dans laquelle on se noie (« La pluie d'Angleterre c'est un océan suspendu... On se noie peu à peu... » 627) vers une improbable naissance, vers une lumière estompée par le déferlement de la pluie. Lier la découverte de l'Angleterre à la pluie paraît davantage un fait d'expérience qu'un signe d'investissement imaginaire singulier. Néanmoins, la liquéfaction généralisée du paysage a pour fonction de resserrer le couple mère-fils, de les fondre dans une intimité fluide. Le père marche devant, « s'espace » progressivement, se dilue dans le paysage : « Mon père les nuages l'escamotaient... Il allait se fondre dans les averses... On le revoyait toujours plus loin cramponné, plus minuscule, sur l'autre versant. » *(Ibid.)* Il ne réapparaîtra, « ahuri par les nuages », que pour participer à l'extraction de la mère et donner l'ordre du repli, du retour vers le port, vers la nuit, pour abandonner la quête de la lumière qu'orientait Brighton et interrompre la parturition du sujet promise à l'échec.

Le regard porté ultérieurement par Ferdinand sur l'Angleterre restera marqué par cette première expérience. Le Meanwell College, c'est les Hauts de Hurlevent. La tempête s'y déchaîne en permanence (« Ça rugissait dans les piaules, les portes en branlaient jour et nuit. On vivait dans une vraie tornade », 721). Les promenades conduisent infailliblement vers des collines « absolument détrempée[s], torrentueuse[s], un chaos, des fondrières... » et s'enlisent dans une « gadouille [...] plus épaisse que du plomb ». Les corps trempés par la pluie voient leurs différences se fondre, s'effacer :

> Quand la flotte devenait si lourde, si juteuse, que le ciel s'écroulait dans les toits, se cassait partout en trombes, en cascades, en furieuses rigoles, ça devenait nos sorties des excursions fantastiques... On se rapprochait tous les trois pour résister à la tourmente... Nora, ses formes, ses miches, ses cuisses, on aurait dit de l'eau solide tellement l'averse était puissante, ça restait tout collé ensemble... (739)

Nora, la fée aquatique, retournera à l'eau, se perdra dans les vagues après avoir échappé à l'étreinte de Ferdinand, « petit carré blanc dans les vagues » suivi par le regard puis perdu de vue, lumière brillante du nom (N *or* a) fondue dans l'eau, jamais vraiment atteinte, tout comme Brighton.

La marche forcée vers Brighton fut une manière de voyage au bout de la nuit, une progression vers un but dérobé, vers une vie débarrassée de toute forme de rétention et d'engluement capable d'inscrire la mort dans la vie. Le séjour au Meanwell College est placé sous les mêmes auspices que l'excursion familiale. La ville où il débarque se présente d'abord comme un sautillement de lumières diluées dans la chape poisseuse du brouillard étouffant toutes choses :

> La ville commençait là tout de suite. Elle dégringolait avec ses petites rues, d'un lumignon vers un autre... C'était poisseux, ça collait comme atmosphère, ça dansait autour des becs... c'était hagard comme sensation. De loin, de plus bas, il venait des bouffées de musique.... Le vent devait porter... des ritournelles... On aurait dit d'un manège cassé dans la nuit. (704-705)

La foule du port a la viscosité de l'Angle-*terre* (« C'était plus visqueux et plus adhérent que les gens de chez nous ») et une odeur suffocante. On s'y colle (« J'ai collé aussi aux groupes avec ma valise »), on s'y englue, on y étouffe, on y revit la noyade de Dieppe et l'expérience maternelle. Les « buées » du brouillard fondent sur la foule et la dissolvent comme les nuées et la pluie escamotaient le père sur les falaises. La jeune marchande de friture qui émerge du brouillard arbore un curieux chapeau croulant « sous le poids des fleurs... C'était un jardin suspendu » qui se souvient du « galure, celui qu'avait des hirondelles et des petites cerises comme garniture » (627) que la mère abandonna aux buissons des falaises, avant que sa jambe ne se dérobât sous elle. Comme le brouillard, comme la foule, la jeune Anglaise colle, se colle à lui, aussi le narrateur l'appelle-t-il la « môme Graillon » à la place de Gwendoline. Peut-on s'étonner que Ferdinand se sente « mal foutu », que le clapotis de l'eau et la houle de la foule agitée le ramènent à une expérience antérieure, que le *brichton*, le pain partagé avec la « môme », rappelle *Brichetonne*, comme disait Clémence, lui soulève le cœur et le conduise à nouveau à se vomir (« J'en peux plus de dégueuler »), à un repliement fœtal dans l'*Angle*-terre (« Je me replie dans un *angle* »)?

Le nom de la « môme » effacé par le sobriquet était pourtant riche d'harmoniques que l'âge adulte saura retrouver par l'écriture. *Gwendoline*, prénom d'origine celte, enclôt les rêveries septentrionales de Céline. Le personnage conduit vers le nord, vers *Nora* qu'il préfigure, jusque dans les attributs qui captent le désir. *Gwendoline* est le diminutif de *Gwen*, de *Blanche*. Nom de fée sortie du brouillard et des mousselines de son chapeau, ombre blanche à l'instar du « petit carré blanc » que sera Nora noyée dans les vagues. Mais *Gwendoline* se marie surtout par avance avec *Gwendor*, le prince agonisant de la Légende, écrite et perdue par le narrateur dans le prologue du roman, qui dialogue avec la mort et se remémore dans un rêve « son berceau de fourrure, dans la chambre des Héritiers, près de sa nourrice la Morave, dans le château du roi René » (523). *Gwendor* est le signifiant qui rapproche la naissance et la mort, qui fait de la mort hâve une nourrice et retrouve à travers une fiction qui la transpose l'expérience de mort que fut la naissance. Gwendoline apparaît aussi comme une allégorie de la mort, notamment lorsqu'elle amène Ferdinand chez une cartomancienne pour faire lire dans les lignes de la main de ce dernier et dans les cartes un destin que sa méconnaissance de l'anglais va lui dérober. Dès lors qu'elle sait, elle change d'attitude, devient méfiante, reconnaît que depuis la naissance la mort travaille en lui, partant elle incarne le crédit qu'il a tiré sur la mort :

> Ma conquête, la Gwendoline, à partir ce moment-là, elle m'a regardé autrement... J'étais plus la même personne... Je sentais qu'elle avait des présages, elle me trouvait transfiguré... Elle me caressait plus la même chose... Il devait être poisseux mon destin... Aussi bien aux brèmes qu'aux sillons, il était sûrement à la caille !... (715)

Destin poisseux de qui, mal né, est resté collé à la mère. Vie caillée, figée en glace comme la Seine en 1892 — (« La Seine a gelé cette année-là », 527) — l'année qui vit naître Ferdinand.

Comme la naissance, le cheminement vers le Meanwell College s'avère un voyage au bout de la nuit avec la mort pour compagne, une montée éreintante vers la lumière « au-dessus de la colline après tout un chapelet de lanternes qui gravissait en zigzag... » (717) qui remet le texte sur la route de Brighton, mais aussi de Noirceur-sur-la-Lys, la ville de *Voyage au bout de la nuit*, vers laquelle Bardamu part en reconnaissance, sur le chemin de laquelle il rencontre Robinson né « d'un changement dans la disposition de l'ombre ». Le rapprochement n'est pas fortuit, il dévoile une structure récurrente de l'imaginaire célinien. Si nulle femme n'accompagne Bardamu, c'est que la ville est femme, offerte, « étalée », « toute allumée et répandue au beau milieu de la nuit », lumière de la blancheur du lys qui y consonne appelant du fond de la noirceur de la nuit[12]. L'opposition de l'ombre et de la lumière recouvre celle de la vie et de la mort, tout particulièrement lorsque Bardamu, derrière « la porte éclairée » à laquelle il a frappé, découvre « un petit cadavre [...] habillé en costume marin », « recroquevillé sur lui-même bras et jambes et dos recourbés » (56), en

position fœtale. Son double. Le double du « petit mort ratatiné sous la voile » du bateau délirant de *Mort à crédit*. Le
nom Noirceur-sur-la-Lys fige cette opposition non sur-
montée et insurmontable ; il fixe l'errance du sujet dont la
vie reste pétrie de mort.

Noirceur-sur-la-Lys, Meanwell College, un même
oxymore[13] ouvre et obture dans le même temps la voie de
la vie, promet et refuse la délivrance, la naissance espérée.
A *Voyage*, *Mort à crédit* ajoute que la marche vers la
lumière se veut aussi quête du nom, naissance symbolique. Meanwell College n'est d'abord qu'un nom, une
adresse inscrite sur un morceau de papier dépourvue de
sens et de référent, un pur signifiant dont le narrateur est
le sujet mais qu'il ne peut « oraliser » faute de connaître
l'anglais. La lumière d'un réverbère le tirerait-elle de la
nuit, ce nom demeure illisible à Miss Graillon qui, illet-
trée, y oppose le sien, clamé haut :

> Je lui ai montré mon adresse... le « Meanwell College ». Exprès, je me
> suis arrêté sous un bec de gaz... Elle savait justement pas lire [...] Elle
> me répétait seulement son nom, son nom à elle. Elle se le tapait sur la
> poitrine... Gwendoline ! Gwendoline !... (713)

Que le signifiant dont chacun s'avère le sujet serve aussi à
désigner la méprise autour de laquelle s'articule le rapport
entre les sexes ne saurait surprendre, puisque Céline ne
cesse d'affirmer que l'impasse présidant à leur commerce
s'enracine dans le langage, qu'il faut débarrasser la sexualité de ce parasite qu'est le langage (« J'entendais bien, je
lui massais, moi, les nichons, mais je comprenais pas les
paroles... »). Loin de favoriser la marche vers la lumière,
le nom prononcé à la place d'un autre ramènerait plutôt
Ferdinand en arrière, vers ce moment inaugural où naissance et mort se confondirent, où la vie se trouva grevée
de mort. Gwendoline n'incarne pas pour le narrateur une
allégorie de la révélation du sens. L'emmène-t-elle chez

une cartomancienne, le chiffre de son destin livré dans une langue inconnue par le message des lignes de la main lui reste opaque. Miss Graillon figurerait plutôt l'engluement du sens dans la nuit, la rétention du sens au bord de la lumière qui le délivrerait au sujet. Aussi la demande doit-elle être adressée à une figure de la Loi, à un policeman qui, à défaut d'articuler le nom, pointe la direction du sens, oriente enfin la quête. Le terme du voyage n'est ni une épiphanie du sens ni le dévoilement du référent du nom, mais plutôt la mise en coïncidence de deux signifiants, des numéros inscrits sur le papier et la plaque (« Le numéro bien exact, ce fut difficile à repérer. On a gratté des allumettes, à deux, trois endroits d'abord... enfin ça y fut !... », 718), la dissolution de l'oxymore, la levée de l'opposition entre la vie et la mort. Au bout de la nuit est espéré un signifiant qui soit un et où le sujet puisse trouver de quoi se soutenir pour naître à soi. Un signifiant chasse d'ailleurs l'autre, les lettres rouges du nom du directeur surplombent celui du collège : « Alors, j'ai regardé la plaque, là devant moi, où je devais entrer !... C'était écrit bien exact "Meanwell College" et puis au-dessus des lettres bien plus rouges : Director J. P. Merrywin » (*ibid.*) ; il promet le gain (*to win*) de la joie et du bonheur (*merry*), une vie réconciliée, en somme une nouvelle naissance. A l'instant même où il ouvre la porte, ne nomme-t-il pas le narrateur par son nom et, dans un français balbutiant, souligne son retard, le retard de sa venue au monde :

— Ferdinand !... Je... vous... dis... bon... jour... Je suis... content... que vous êtes ici... mais... vous avez... un grand retard... que vous est-il arrivé ?... (719)

Que Ferdinand ne sache pas répondre (« J'en sais rien... que j'ai répondu ») ne saurait surprendre ; l'écriture du roman a la charge de la réponse.

47

Casse-pipe exemplifiera le lien du voyage au bout de la nuit et de la quête du nom. Ferdinand se présente au régiment lors d'une nuit battue de pluie et de vent, une feuille à la main ; elle colle au doigt du brigadier qui tente de l'ouvrir et de lire le nom (III, 4). Après de nombreux essais de plume, le nom finira par s'inscrire sur le registre et par être prononcé : « Il s'y remet à la calligraphie [...] Malheur ! qu'il s'exclame... Fernand ?... Ferdinand ?... fils d'Auguste... » (9). Les premiers exercices militaires auront lieu sous des trombes d'eau qui, comme sur les falaises anglaises, dissolvent le paysage et le langage, les transforment « en bouillies qui retombaient dans le noir, mornes, flasques » (16). Ils se réduiront à une errance nocturne, éclairée par un falot, dans la cour de la caserne, à la quête d'un mot de passe oublié, approché par une série de signifiants incertains, avant qu'un planton épileptique ne le retrouve dans une crise : « Maman !... Maman ! qu'il hurle alors... mam... mam... Mar... gue... rite... » (50). Marguerite, prénom usuel de la mère de Céline... Fin mot de l'errance[14]. Ce qui retient dans la nuit. Le corps de l'épileptique mime d'ailleurs la vague douloureuse qui soulève la parturiente sans parvenir à la délivrer :

... il se raidit le planton, il écarquille encore les yeux, il nous fixe, il pousse un cri, une épouvante, un déchirement de tout son corps. Ça n'en finit plus. Et puis il retombe, il s'abat sur le flanc encore, il recommence, des gémissements, des saccades. (49)

Il vit en même temps l'asphyxie du nouveau-né :

Il se cramponne, il gigote encore, il pousse des cris d'égorgé. La mousse lui monte à la bouche, des bulles, sa tête devient toute violette. Ça va mal. Il reste les yeux écarquillés, à la renverse, la langue sortie. (48)

Frère en cela du Ferdinand de *Mort à crédit* aspiré par la mer à Dieppe. L'accès épileptique est une manière de

48

naissance forcée où il faut extirper la langue de la bouche avec une fourchette transformée en forceps (49), ce qui n'empêche nullement que le planton se la morde et se la mette en bouillie : « Il en avait plein les dents, un hachis, de sa langue ! et puis saignante à flots... Il a fallu qu'on lui extirpe. Ce ne fut pas une petite affaire... » (51). Fœtus avorté. Extraction aussi difficile que celle de Clémence prise dans la glaise britannique ou que le sauvetage de Ferdinand des eaux dieppoises. Cette bouillie de langue met la langue en bouillie, fait marmonner et ramène à l'*infans* : « "Do... donne... moi gli glisse". Il faisait l'enfant, le petit conneau. C'est ça qu'il demandait : du gli-glisse » (50). Il demandait tout simplement que ça glisse, enfin, pour ne plus avoir à y revenir, pour ne plus être asphyxié, que le mot de passe lui ouvre la passe maternelle et lui permette de sortir de la nuit, à la lumière, à l'air.

La bouillie fœtale de la langue dans *Casse-pipe* nous ramènerait d'ailleurs rapidement à la séquence anglaise de *Mort à crédit* par le chemin souterrain mais sûr du signifiant. La *Marguerite* n'éclôt difficilement dans la bouche de l'épileptique qu'au terme d'une série de contractions infligées à la mémoire pour en extraire le mot de passe : « Navarre »... « Navarrin »... Jusqu'à ce que quelqu'un s'avise qu'il s'agit d'une fleur :

> Si ! C'est une fleur ! Ça y est ! J'y est !
> — T'y es quoi ?
> — Une fleur de jonquière ! Je suis tranquille ! C'est Jonquière !
> — Jonquière ? Jonquière ? Ça veut rien dire !...
> — Mais si que ça veut dire très bien ! Jonquière ! Jonquille !... (47)

De *Jonquille* à *Jonkind*, il n'y a que le pas d'un signifiant à rebrousser pour retrouver le compagnon d'errance de Ferdinand au Meanwell College, l' « enfant spécial », le « tardif », l'*infans* véritable (le *kind* en allemand, langue que Céline connaît quelque peu) puisqu'il ne parle pas et

ne peut que renvoyer l'écho du « No trouble, Jonkind ! »
destiné à l'apaiser. Jonkind est l'enfant d'avant la naissance égaré dans la vie, abandonné, un fœtus immature
quasi aveugle (« il était ignoblement myope, il aurait ren-
versé les taupes », 723), effrayé pour un rien. Né trop tôt,
il n'a de cesse dans ses actes les plus ordinaires d'annuler
le mouvement qui l'a projeté incomplet au monde ; avec
chaque objet ingurgité, il reparcourt à l'envers sa naissance :

> il avalait tout sur la table, les petites cuillers, les ronds de serviettes, le
> poivre, les burettes et même les couteaux... C'était sa passion d'en-
> gloutir... Il arrivait avec sa bouche toute dilatée, toute distendue,
> comme un vrai serpent, il aspirait les moindres objets, il les couvrait
> de bave entièrement, à même le lino. Il en ronflait, il écumait en fonc-
> tionnant *(ibid.)*.

Rien de surprenant à ce qu'il aime « se rouler dans le
mouillé », se fondre dans les bourrasques de pluie
(« L'idiot, la pluie ça le faisait jouir », 739), avaler les
gouttières, danser dans les poches amniotiques des fla-
ques d'eau, mordre dans le ventre rond et maternel des
potirons. Jonkind est symétrique de Ferdinand, l'autre
visage du malheur d'être né, un « trop tôt » qui fait pendant à un « trop tard ». Aussi, les deux personnages se res-
semblent-ils toujours davantage. La tempête déchaîne en
Ferdinand des appétits féroces ; comme son double
inversé avalant les porte-plumes et l'encre, il ingurgite la
nourriture (« je fonçais dans le pot de sucre, à la louche et
même à pleines poignes », 722). Il persévère dans le
mutisme imposé à Jonkind par l'immaturité, à tel point
qu'on le croit idiot (« Moi aussi, les fournisseurs ils me
croyaient cinglé », 744). D'anglais, Ferdinand n'aura
appris que le « No trouble, Jonkind ! » seriné par l'idiot,
auquel viendra s'ajouter sur la fin un « Ferdinand ! No
fear ! », formule en chiasme où le nom du narrateur
résonne comme l'écho de celui de l'*infans*.

Les vicissitudes fantasmatiques de la naissance constituent une manière d'individualisation subjective de l'impasse sexuelle. Etre né trop tôt ou trop tard permettra, le moment venu, de manquer le rendez-vous d'autrui en convoquant dans le théâtre sexuel les débris signifiants d'une scène qui, pour n'avoir pas eu lieu, n'en demande pas moins à être sans cesse rejouée et réécrite. Déchirer le corps de Mireille, c'est aussi en extirper « la vacherie » (« Qu'elles s'arrachent tout les salopes ! Que ça saigne autour et partout ! Que ça leur sorte toute leur vacherie !... ») — « la vacherie » qu'est la vie donnée dans le sang ou avortée par la tante, la Vitruve. Attaché aux amours saphiques, le voyeurisme célinien guette ce qui pourrait bien choir de ces corps féminins livrés au regard ; les « godes » y font davantage office de forceps que d'authentiques instruments de plaisir. Le sujet en attend la délivrance.

Le traumatisme de la naissance prend en charge l'impossibilité structurale de la sexualité. L'asthénie sexuelle précoce, soulignée par Céline lui-même, et dont le voyeurisme de *Mort à crédit* constitue davantage une manifestation qu'une authentique perversion, tente de parer à la violence d'un acte ressenti comme l'annulation d'une naissance conquise de haute lutte sur la mère. L'obscénité, au-delà de la provocation, vise à générer chez le lecteur un affect équivalent à la panique éprouvée à ce rappel du corps féminin, un rejet qui, dans son mouvement, assoirait le caractère irréversible de la naissance. La sexualité célinienne est passive et Ferdinand l'objet d'une demande qui tourne à l'agression. La cliente, la Gorloge sont des goules, même la fée Nora, pourtant si discrète, cède brusquement à la brutalité que sa morphologie avait inscrite en elle comme un destin : « Elle attend pas ! Elle me paume en trombe, d'un seul élan sur le page ! [...] Je prends tout le choc dans la membrure » (769). La visite à la cliente au début du roman possède de ce point de vue une valeur paradigmatique et présente les caractéristiques d'une scène primitive : l'angoisse du sujet y trouve son lieu, lorsque parmi des dentelles qui lui confèrent un caractère maternel, la dame exhibe « ses cuisses, des grosses, son croupion et sa motte poilue » (556). Le travail des mains et l'invite douce de la voix (« Avec ses doigts elle fouille dedans... « Tiens mon tout mignon !... Viens mon amour !... Viens me sucer là-dedans !... » Elle m'invite d'une voix bien douce... bien tendre... comme jamais on m'avait parlé », *ibid.*) désignent le chemin d'un retour, d'un *regressus ad uterum* sous lequel la sexualité de Ferdinand va se trouver désormais placée. Plus tard, la Gorloge pliera d'autorité jusqu'à son bas-ventre la tête de Ferdinand (« Elle m'agrafe par les oreilles... elle me force à me courber, à me baisser jusqu'à sa craquouse... », 681). Dans le cunnilingus imposé, Ferdinand projette son angoisse de la prison du ventre maternel ravivant le souvenir d'une rétention originelle. La scène fait penser à une plongée au fond de la matrice, en ce lieu profond, obscur et cloacal qui recèle l'œuf (« ça cocotte la merde et l'œuf dans le fond, là où je plonge »), où le germe de vie se confond avec le déchet, où la vie se mélange à la mort. L'œuf deviendra d'ailleurs le signifiant suscitant l'angoisse du retour à la prison du ventre maternel. Un œuf, peint en rouge, suffira, à la fin du roman, à réveiller les symptômes nauséeux, à tirer sur le réel l'écran du délire pour apaiser l'angoisse :

Je m'arrête devant un étalage... Je regarde un œuf dur... un tout rouge !... Je me dis : « Je vais l'acheter ! [...] Je l'épluche l'œuf sur le comptoir, je mords dedans... Je le recrache tout de suite... Je pouvais plus rien avaler !... Merde ! Ça passait pas... Merde, que je me dis, je suis malade... J'avais le mal de mer... Je sors à nouveau... Tout ondulait dans la rue... Le trottoir... Les becs de gaz... Les boutiques... Et moi sûrement que j'allais de travers... [...] C'était encore les nausées... [...] J'ai vomi dans la rigole... (1086-1087)

L'œuf qui ne passe pas dit l'impossibilité d'un passage antérieur. Vomissant, comme le jour de l'excursion anglaise, Ferdinand se vomit, tente de s'évacuer et d'évacuer la matrice où le désir des femmes ne cesse de le ramener.

Le voyage vers la nuit originelle de la matrice commence par un éblouissement (« C'est éblouissant et ça jute »), mais la lumière manque aussitôt, inversant le mouvement structurant de la démarche célinienne. Cette nuit-là n'a pas de bout. Aucun nom ne s'y délivre ni n'en délivre. On s'y perd, comme Ferdinand dans le sexe des femmes : happé par la Gorloge, il plonge en elle comme un futur noyé se jette à l'eau et en remonte comme un nouveau né arraché au naufrage de sa naissance (« Elle me tire des décombres... Je remonte au jour... J'ai comme un enduit sur les châsses, je suis visqueux jusqu'aux sourcils... », 681). Chaque scène amoureuse présente un point commun avec la scène de noyade à Dieppe : Ferdinand y est bousculé et malmené par sa partenaire. La douce Nora, soudain déchaînée, le prend et le secoue comme autrefois la mer : « Je suis repris, étendu, sonné à nouveau... C'est une avalanche de tendresse... Je m'écroule sous les baisers fous, les liches, les saccades... J'ai la figure en compote » (769). Surtout, à chaque fois, Ferdinand manque d'étouffer, s'asphyxie. Avec la Gorloge son col de celluloïd l'étrangle, la fougue de Nora l'empêche de respirer... Symptôme qui actualise une première asphyxie liée à la rétention dans le ventre maternel. Ce symptôme d'étouffement alimentera la fiction de *Guignol's band II*, les recherches de Sosthène de Rodiencourt autour de l'invention d'un masque à gaz, qui protège notamment du gaz impitoyable, le *Ferocious 92* — aussi féroce que l'année 1892 que Ferdinand, dans *Mort à crédit*, déclare être celle de sa naissance. Date d'une première asphyxie. Date rappelant l'hiver où la Seine gela, où cessa l'écoulement des eaux figées dans la glace... Vie un temps arrêtée.

Rien d'étonnant donc à ce que Ferdinand, sa petite affaire faite, ne cherche qu'à s'échapper ; il se sauve dans la cuisine de la cliente, bondit dans l'escalier tandis que la Gorloge pense à ses ablutions. De l'air enfin : « Je dévale quatre à quatre... Je respire un sérieux coup [...] Je souffle » (683) ! L'air manque aussi dans l'écriture, il faut l'insuffler au sein de la phrase. Grâce aux trois points qui l'ajourent, l'air y pénètre et l'arrache à l'asphyxie. La musique célinienne est avant tout une respiration de l'écriture soustraite à la suffocation, attachée à surmonter l'empêchement de vivre.

Une naissance délirante

La pathologie sert la vérité nouée au corps par le symptôme ou dérobée derrière l'écran du fantasme. Aussi, le délire célinien, accompagné de nausées, se veut-il toujours un moment de vérité, un moment où le sujet vomit sa vérité. Son statut clinique n'en demeure pas moins difficile à discerner. Inclinant vers le rêve par la profusion, la diversité et la plasticité des matériaux qui le nourrissent, il relève de la structure du fantasme par sa capacité à se réduire à une formule narrative simple. La troisième (mais première dans l'ordre biographique) scène délirante de *Mort à crédit* illustre ce souci de quêter la vérité à l'intersection de deux structures cliniques. Tous les personnages mentionnés jusqu'alors y réapparaissent ; les morts s'y mélangent aux vivants, dans une sarabande infernale conduite par la cliente gigantesque dont les jupes gonflées semblent vouloir englober l'univers. La multiplicité des événements et des acteurs peut se réduire à deux actions simples qui s'annulent : sortir du Passage, y revenir. A peine issue d' « un nuage tout gonflé de sang », la cliente obstrue le Passage, devient le Passage, et ordonne que tout le monde en sorte :

> Elle s'est mise à nous commander.... Là-haut... En l'air... [...] Elle a ordonné qu'on se manie... Elle faisait des signes... Et qu'on se dégrouille tous !... Qu'on s'échappe vivement du Passage... Et dare-dare ! [...] Elle occupait tout notre Passage... (584)

Dehors, elle conduit la foule à l'Exposition, vers un autre passage infranchissable : « Coincés qu'on s'est trouvé alors, entre les battants de la porte [...] On s'écrase, on suffoque, on rampe tout à fait à plat... » (590-591). Un cri d'angoisse du narrateur dissipe la géante dont les jupes se relèvent, cependant qu'un vent glacé transit la foule qui se précipite vers le Passage sans parvenir à y pénétrer :

> Mais pour parvenir chez nous, faut encore recourber quatre grilles extrêmement scellées... On s'y met à mille, on s'y met à cent pour pousser la lourde... Pour rentrer sous le vasistas... On arrive à rien... (592).

Bref, impossible de franchir le passage. Les grilles du fantasme barrent le chemin du retour par où sourd l'insupportable angoisse. Au vrai, sortir relevait de l'illusion, puisque la cloche irrespirable du Passage (« Le Passage devenait conscient de son ignoble asphyxie », 568) s'est aussitôt substituée à celle de la robe de la géante. Sortir, (r)entrer constituent les deux termes d'un mouvement inane et sans terme : pour revenir encore eût-il fallu être parti, et pour ne pas errer être délivré. Si, à l'instar de Ferdinand parcourant en tous sens Paris, l'on bouge et l'on voyage tant dans l'univers romanesque de Céline, n'est-ce pas à cause d'un faux pas originel, de l'impasse de la naissance ? Le délire de *Mort à crédit* légitime le nom du Passage. Passage des Bérésinas, passage de la débandade quand, précisément, on n'est pas passé, on n'a pas franchi le passage de la naissance qui ouvre à la victoire de la vie. L'obturation du passage transforme la vie en Bérésina. Il n'y a plus dès lors qu'à perdre l'équilibre avec « la Méquilibre », « la belle artiste », à trébucher au fond du foyer du volcan, que suscite la fin du délire — là aussi on étouffe —, pour qu' « il ne reste rien au monde, que le feu de nous » (593), à choisir en somme l'apocalypse, ce « rouge terrible qui vient [...] gronder à travers les tempes avec une barre qui remue tout... déchire l'angoisse... », comme Céline le fera à partir de *Féerie pour une autre fois*. *Bérésina* constitue un signifiant clef de l'univers célinien[15]; il trace le chemin d'un repli (d'un retour à Courbevoie, la *Courbe*-voie tracée par le nom de son lieu de naissance?) à partir d'un passage impossible, dans lequel Céline, porté par la logique de son imaginaire romanesque, se précipite en 1944, dans une « retraite de Russie à l'envers » (*Nord*, II, 706) qui le conduit en prison au Danemark, puis à la quasi-réclusion de Meudon... De la rétention qui étouffe la vie à la réclusion à vie. L'exergue de *Mort à crédit* n'empruntait-il pas déjà à une chanson de prison?

La naissance et la mort

De Freud et de la littérature psychanalytique d'avant-guerre Céline retint surtout l' « instinct de mort », « l'immense désir du subconscient de mutilation et de mort », « l'envie chez l'homme latente de tuer et d'être tué »[16]. Souvenirs sans doute partiels d'*Au-delà du principe de plaisir*, que Céline ne connut que de seconde main, comme tout ce qui relevait de la psychanalyse. Néanmoins, la logique inconsciente de *Mort à crédit* produit un savoir sur la pulsion de mort qui excède ce que Céline a retenu de Freud, notamment le retour à l'état antérieur de l'inorganique, dont la prison utérine paraît fournir un équivalent imaginaire récurrent. L'enfermement place la naissance sous l'égide de la mort, transforme la vie en « mort à crédit » et favorise constamment le passage de l'une à l'autre.

Le symptôme de suffocation en fournit une illustration. Emergeant lors de copulations qui rebroussent le chemin de la naissance, il accompagne aussi les agonies et ramène à l'état d'*infans*, au temps d'avant la parole. Gagnée par le silence, Mme Bérenge a étouffé, jusqu'au dernier « petit hoquet » recueilli par le facteur (« Sur la fin ma vieille bignolle, elle ne pouvait plus rien dire. Elle étouffait, elle me retenait par la main », 512). Plus douloureuse, la mort de la grand-mère est encore une dyspnée, jusqu'au hoquet final :

> Alors j'ai entrevu Grand-mère dans son lit dans la pièce plus loin... Elle soufflait dur, elle raclait, elle suffoquait, elle faisait un raffut infect... [...] Sur le lit, j'ai bien vu comme elle luttait pour respirer. Toute jaune et rouge qu'était maintenant sa figure avec beaucoup de sueur dessus, comme un masque qui serait en train de fondre... [...] Elle étouffait complètement... [...] Il est venu une sorte de hoquet... (597-598)

D'une manière exemplaire, la mort de la grand-mère est signifiée par les symptômes de sa fille, par la théâtralisation hystérique qu'en offre son corps :

> Ma mère s'est redressée d'un coup... Elle a fait un ouq ! Comme si on lui coupait la gorge. Elle est retombée comme une masse, en arrière sur le tapis entre le fauteuil et mon oncle... La main si crispée sur sa bouche, qu'on ne pouvait plus la lui ôter... (598)

Gorge tranchée, main sur la bouche : manières d'étouffer, en ramenant la suffocation à la mère, à l'origine et au terme de toute vie...

La thèse de médecine consacrée à Semmelweis dénonçait le scandale de la mort des parturientes, des « doigts des étudiants souillés au cours de récentes dissections qui vont porter les fatales particules cadavériques dans les organes génitaux des femmes enceintes » (86), liant la naissance à la mort. *Mort à crédit* boucle la démonstration en ramenant la mort à une naissance avortée. Découvrant le corps de Courtial, Irène s'écrit : « Un placenta !... C'est un placenta !... Je le sais !... Sa tête !... Sa pauvre tête !... C'est un placenta !... » (568). « Le corps ratatiné en Z... » trace le graphe qui, bouclant une vie, ouvre le nom du dirigeable, le *Zélé*, lequel renvoie à un premier ballon, l'*Archimède*, dont l'enveloppe primitive a servi à ravauder les plaies du second aérostat. La lettre de clôture et de mort ramène à celle qui inscrit l'origine, comme la mort à la naissance. L'accoucheuse qu'Irène fut autrefois, avant sa rencontre avec Courtial et son hystérectomie, ne saurait d'ailleurs s'y tromper, aussi emmaillote-t-elle le cadavre dans l'enveloppe de l'*Archimède* :

> Ferdinand ! toi, vas-y donc ! Dépêche-toi mon petit ! Va me chercher vite dans ma paillasse... tu sais par la fente... ! où je rentre la paille ?... Fouille ! Plonge avec ton bras du côté des pieds... tu vas trouver le grand morceau !... Tu sais bien... celui de l'*Archimède* !... Le rouge... le tout rouge !... Il est assez grand tu sais... Il sera assez grand... Il fera bien le tour !... [...] Elle l'a déplié devant moi... elle l'a étalé par terre... C'était toujours une bonne toile. C'est la couleur qui avait changé... Elle était plus écarlate... elle avait tourné tout marron... Elle a pas voulu que je l'aide pour enrouler Courtial dedans. Elle a tout fait ça elle-même... Fallait surtout pas qu'elle le remue... Elle a glissé sous le cadavre tout le tissu tout à fait à plat... extrêmement doucement il faut dire... Elle avait bien assez de métrage pour tout envelopper... Et toute la barbaque de la tête s'est trouvée renfermée aussi... (1058-1059)

Mais avant de restaurer l'enveloppe placentaire autour du cadavre fœtus, il faut procéder à un simulacre d'accouchement, chercher par la fente dans le corps de la paillasse, y plonger le bras du côté des pieds, afin d'en extraire l'enveloppe rouge, couleur du sang, qui vire au marron avec le temps. Il ne s'agit nullement de redonner vie, mais d'appliquer à la mort les gestes entourant la naissance, de fonder définitivement leur équivalence.

La naissance d'un enfant ne se différencie guère de la culture des pommes de terre (Ferdinand ne possède-t-il pas une tête grosse comme une « téterre » ?). Nonobstant la stimulation électrique de la terre, le maintien prolongé du tubercule dans la terre engendre sa décomposition, la prolifération de la vermine : « Rongées... racornies, immondes bien pourries; et en plus pleines d'asticots !... Voilà les patates à Courtial ! » (544). La putréfaction témoigne de la transmutation du tubercule en viande, en cadavre — confusion de la vie et de la mort. L'odeur n'est exceptionnelle que parce qu'elle suscite la nausée, rappelant le soulèvement du corps qui cherche à évacuer ce qui, retenu, y pourrit. Les vomissements ont d'ailleurs partie liée avec la mort autant qu'avec la naissance. Metitpois, un médecin évoqué dans le prologue, cherche à vomir « les dix mille lames ouvertes dans l'aorte » par l'angine de poitrine qui le terrasse.

Enraciné dans le fantasme par lequel le sujet tente de se représenter la faillite de sa venue au monde, le destin des pommes de terre acquiert une dimension métaphysique. Il illustre la nécrose de la vie par la mort, le délabrement des êtres et des choses. Il explique *a contrario* la conduite de l'oncle Rodolphe revenant chaque soir dormir aux côtés de Rosine, l'amante défunte dont la décomposition alerte sur sa folie, cette folie qui est avant tout une manière de résister à la vérité (« Il comprenait pas que les choses périssent », 559) expérimentée *in principio* par Ferdinand. La mort éveille la folie parce qu'elle ramène à la naissance. Le cadavre fœtal de Courtial déchaîne la fureur d'un curé fou :

Il plonge les doigts dans la blessure... Il rentre les deux mains dans la viande... il s'enfonce dans tous les trous... Il arrache les bords !... les mous [...] Y a une espèce de poche qui crève... Le jus fuse ! gicle partout ! (1076).

59

Geste dément qui rappelle les gestes d'un autre dément, Semmelweis, allant chercher sa mort dans cette putréfaction qu'il savait gangrener le ventre des femmes enceintes :

> Un cadavre était là, sur le marbre [...] Semmelweis, s'emparant d'un scalpel, incise la peau du cadavre et taille dans les tissus putrides avant qu'on ait pu l'empêcher, au hasard de ses impulsions [...] Il reprend son scalpel et fouille avec ses doigts en même temps qu'avec une lame une cavité cadavérique suintante d'humeurs. Par un geste plus saccadé que les autres, il se coupe profondément [...] il vient de s'infecter mortellement (120)

Semmelweis meurt étouffé (« la mort le prit à la gorge. Il étouffa », 122), comme Mme Bérenge, comme la grand-mère, comme Ferdinand dans les étreintes amoureuses qui le ramènent à sa naissance. Semmelweis prend d'ailleurs congé du monde sur une formule (« Non, Non... Skoda! »), semblable à celle sur laquelle s'interrompt *Mort à crédit* : « Non mon oncle. » Même refus de la confusion de la naissance et de la mort signifié à une instance paternelle. Le signifiant organisa d'ailleurs le croisement du destin de Ferdinand et de Semmelweis, de l'écrit médical et du roman, en faisant naître le narrateur au « dix-huit de la Rampe du Pont »[17] (526), chiffre reprenant celui qui se répétait dans la date de naissance du médecin hongrois, le 18 juillet 1818 à Budapest. Chiffre de l'identification (tant de fois soulignée par la critique) et de la transmission, confiant à l'écriture le soin de marquer une origine commune, de prendre en charge le fantasme que l'exercice ordinaire de la médecine, forme simple de l'identification, ne pouvait satisfaire.

La mort est comme la naissance une rupture de poche, la fin d'une rétention, un écoulement final longtemps empêché. Metitpois, le médecin légiste du début de *Mort à crédit*, rêve d'une « inondation pépère des deux ventricules à la fois quand sa cloche sonnerait » (525); le narrateur cherche dans le cerveau du cadavre disséqué l'ictus indiquant la rupture d'anévrisme et projette sa propre mort (« Ça sera-t-il une artériole qui pétera dans l'encéphale ? »). Ayant achevé *Rigodon* — où le déferlement des Asiates signe la fin de l'Histoire — Céline meurt le 1er juillet 1961 (mois de naissance de Semmelweis) d'une congestion cérébrale (comme le père de Ferdinand). D'une rupture de la minuscule poche formée par le sang retenu par l'artère qui lui refuse le passage, fidèle en cela au diagnostic de *Mort à crédit* et au fantasme qui organise le roman.

4. *La clémence d'Auguste*

Ouvrir *Mort à crédit* par l'évocation du décès de Mme Bérenge place la naissance de l'écriture sous l'égide de la mort ; le récit en devient mort-né, dès l'origine. Mais qui s'éteint à travers la « vieille bignolle » ? Assurément un ange de douceur, « une douce et gentille fidèle amie » (511), une figure apaisante qui savait arrêter « le chagrin des lettres » désormais mêlé à « l'incroyable aigre goût » de la mort. Sa disparition engendre un sentiment de déréliction et laisse l'écriture orpheline, privée de mémoire et de destinataire : « A qui vais-je écrire ? Je n'ai plus personne. Plus un être pour recueillir doucement l'esprit gentil des morts... pour parler après ça plus doucement aux choses... » (512). Cette mort fait événement dans la mesure où elle instaure un nouveau régime d'écriture, où l'activité narrative, substituée à l'éclatement d'une haine intransitive, gardée au chaud pour plus tard (pour les pamphlets ?), promet un sacrifice qui délivrera de l'impossibilité de vivre :

> Je pourrais moi dire toute ma haine. Je sais. Je le ferai plus tard s'ils ne reviennent pas. J'aime mieux raconter des histoires. J'en raconterai de telles qu'ils reviendront, exprès, pour me tuer, des quatre coins du monde. Alors ce sera fini et je serai bien content. *(Ibid.)*

Raconter des histoires constitue une manière de suicide à retardement destinée à effacer progressivement le sujet qui s'est identifié à la perte ouverte en lui par la disparition d'un être aimé ou haï. Alors, la mort de Mme Bérenge ravive-t-elle le souvenir de celle de la grand-mère, Caroline, évoquée plus tard dans le roman ?

La logique du sacrifice par l'écriture dans laquelle s'engage le narrateur nous emmènerait néanmoins dans une autre direction. Généralement, la victime consent à son immolation pour en finir (« Alors ce sera fini », dit le narrateur) avec une mort qui n'a pas eu lieu, pour enfin accomplir un meurtre dont la nécessité se faisait sentir à travers une violence tournée contre soi et contre les autres. Le sacrifice consenti relève de l'identification au cadavre qu'il faut pour que sa fonction signifiante se trouve assumée, même trop tard. Dans cette perspective, *Mort à crédit* inviterait à se tourner vers Auguste, le père, que Ferdinand manque d'assassiner au midi du roman, avant d'aller vivre chez son oncle puis travailler aux côtés de Courtial des Pereires. Meurtre raté grâce à l'intervention des voisins. Meurtre confisqué, définitivement, par la mort effective du père[18] « qu'est décédé l'autre hiver », apprend-on dans le prologue, à la même époque que Mme Bérenge.

Le contexte presque fantastique du décès de la concierge met en place quelques signifiants dont les résonances ne se feront entendre que plus tard. Ainsi, à l'effacement discret auquel se résume cette mort s'oppose le déchaînement des éléments (« Hier à 8 heures Mme Bérenge, la concierge, est morte. Une grande tempête s'élève dans la nuit », 512). Tempête qui nous remettrait sur le chemin de Brighton, qui ressuscite surtout le fracas des fulminations paternelles, de cette « performance d'ouragan » d'Auguste qui ébranlait la maison et l'enfance. La disparition de la « vieille bignolle » ne ravive pas le deuil de la mort du père, elle vient rappeler que la mort a confisqué un meurtre et signifier comme impossible ce qui aurait dû avoir lieu. Au défaut de ce meurtre surgissent la haine de soi, préparant au sacrifice par l'écriture, et la haine du père, qui n'a pu être sacrifié et que l'écriture va constamment s'employer à mettre à mal dans ce roman qui constitue une des plus efficaces destitutions littéraires de la figure du Père : « Je traite mon père comme du pourri ! [...] Y avait pas pire dégueulasse dans tout l'Univers ! de Dufayel au Capricorne » (543).

Auguste : qu'est-ce qu'un père ?

De *Fernand* à *Auguste*, de la vie à l'écriture, le signifiant qui nomme le père entend franchir le pas des générations attribuant (sur le modèle de l'opération pratiquée sur la branche maternelle) le nom du grand-père au père et exhumant le prénom oublié du père[19] afin d'atteindre par ce geste au plus secret de la fonction paternelle. Ce pas est aussi celui du sens dont la fiction leste les signifiants pour accéder à une vérité dérobée, fût-ce par le truchement de la dérision et de la parodie. *Auguste* oscille entre la majesté divine d'une figure à l'antique, « maître[sse] d'elle-même comme de l'univers », et le comique triste du clown blanc. Le père ne possède-t-il pas « le sens des humanités », ne déclame-t-il pas à l'antique avec « des phrases entières latines », jetant l'anathème sur le fils indigne, jouant à l'occasion les Ponce Pilate (« il se lavait les mains de mon ordure, à plein jet, à toute pression », 690) ? Mais ses foucades, ses démêlés avec ses employeurs, grossis par la fiction, engendrent le triste spectacle d'un personnage offert au rire pour mieux souligner le tragique de son inconsistance. Le nom laisserait-il ainsi augurer que le Père en majesté n'est rien d'autre que la loque balbutiante que *Mort à crédit* malmène, que le Père est encore à naître ?

L'Auguste de *Mort à crédit* n'attire ni le respect ni la vénération qu'appelle le nom, ni l'inhumaine maîtrise de soi qu'incarne le héros cornélien qui le porte et auquel a dû penser Céline. L'âge adulte venu, Ferdinand gardera le souvenir d'un être violent, traînant la mère par les cheveux, la bourrant de coups (« Elle écopait d'un ramponneau et d'une bordée d'engueulades », 560), se cachant pour surprendre le fils en train de se « branler » afin de lui « foutre la raclée ». Sa violence prend aussi bien pour cible les objets que les êtres :

> Il mugit, il fonce, il explose, il va bombarder la cuistance. Après les clous il reste plus rien... Toute la quincaillerie est en bombe... ça fuse... ça gicle... ça résonne... Ma mère à genoux implore le pardon du Ciel... La table il la catapulte d'un seul grand coup de pompe... Elle se renverse sur elle... (564)

Il brutalise avec la même violence la machine à écrire sur laquelle, des heures durant, il s'escrime à taper (littéralement) des pages : « Il tapait dessus comme un sourd... Il crevait des pages entières... » (779)...

Au demeurant, ce violent irascible est un mou, comme le lui signifie Lempreinte, en butte aux tracasseries de son employeur qui, à la compagnie d'assurance, la « Coccinelle », cherche constamment la petite bête, lui reproche les jambages parfaits de sa calligraphie, ignorant sans doute que l'imperfection d'une jambe, l'insupportable musique de la boiterie de Clémence le rendent fou. L'homme qui arpentait la capitale en tous sens pour livrer des meubles, qui allait de Paris à Dieppe à bicyclette, qui échappait à la nausée collective de la traversée vers l'Angleterre, qui se rêvait maître de l'Atlantique dans la chambre lui servant de hune au-dessus du Passage, qui tenait en haleine les riverains par la seule force de son verbe, finira « parfaitement louf de désespoir », décharné et quasi aphasique :

> Il pouvait plus dire un seul mot !... Il comprenait pas non plus... ce que je m'évertuais à expliquer [...] Il faisait perdu, mon papa, dans ses

vieux vêtements ! Ses falzars surtout y tenaient plus à rien !... Il avait tellement maigri, ratatiné de toute la tronche, que la coiffe de sa grande casquette, elle lui voguait sur le cassis... elle se barrait à travers les yeux... (986-987)

La déchéance de l'image paternelle ne saurait seulement se lire comme l'illustration de la dégradation qui affecte l'univers célinien et qui corrompt êtres et choses de l'intérieur comme la mort ronge la vie : elle révèle l'essence du Père, à savoir son inconsistance. La quasi-disparition physique d'Auguste à la fin du roman relève d'une logique repérable dès l'origine, dont l'excursion anglaise a marqué un temps fort. Si la houle ne lui révulse pas l'estomac durant la traversée, un jaloux lui fait couler le sang d'un coup de tête ; si son entrain le pousse à marcher devant sur les falaises, à se fuir comme d'autres se vomissent, la pluie ne le dilue pas moins (« Mon père, sa caquette nautique lui fondait jusque dans la bouche », 626), les nuages l'absorbent, l'estompent : « Mon père les nuages l'escamotaient... Il allait se fondre dans les averses... On le revoyait toujours plus loin cramponné plus minuscule, sur l'autre versant » (627). Déjà si minuscule, presque effacé. Perdu dans les nuées, comme il le sera plus tard dans son pantalon.

Mais si les nuages parviennent si facilement à l'absorber n'est-ce pas qu'il a la consistance d'un nuage ? Que le Père c'est du vent ? Ou plus exactement de la buée, la buée des colères qui le font bouillir et s'évaporer : « A l'intérieur ça devait bouillir », constate Ferdinand. L'accès se traduit toujours chez lui par une boursouflure (« il se boursoufle à plein... il s'enfurie vis-à-vis... C'est sa performance d'ouragan !... », 820), ou par une brutale ébullition (« Il sifflait, soufflait tellement la vapeur, qu'il faisait un nuage entre nous... », 806). Les mots ânonnés dans la colère deviennent eux-mêmes buée, nuages : « Il lui venait comme de la vapeur à la place des mots » (686). Ils s'évaporent, ils ne font pas Loi, ils ne soutiennent pas la fonction paternelle.

Lorsque la vapeur des mots ou la violence des coups ne parvient pas à faire baisser la pression, le corps entier entre en éruption. Des furoncles y apparaissent, puis des anthrax nécessitant qu'on l' « embobine dans des ouates », qu'on le rende un peu plus cotonneux et qu'on reconnaisse ainsi sa substance de nuage. L'anthrax donne à voir la vérité du père : il se gonfle puis se dégonfle, laissant couler la purulence. Les insanités prennent le relais des sanies lorsque les bordées d'injures accompagnent la guérison. Le père célinien, ou la figure soutenant sa fonction, fuit ou se dégonfle. Prostatique et boiteux, le colonel des *Entretiens avec le Pr Y...* est incontinent (« l'urine lui dégoulinait des jambes... [...] il dandinait dans la flaque », 99); Neptune, le père déchu de *Scandale aux abysses*[20], s'entend traiter de « grosse baudruche » par Vénus... Baudruche, Auguste se dégonfle littéralement et abolit la Loi qu'il était censé incarner : « Puisque mon père se dégonflait c'était pas quand même une raison pour que je me croye tout permis... » (699). Simultanément, la mère gonfle, enfle (« Tu vois ma jambe?... Tous les soirs elle enfle à présent... » *Ibid.*), jusqu'à ce qu'un abcès apparaisse sur sa jambe, prenne la cuisse comme une grossesse monstrueuse, et crève à l'occasion d'une colère du père. Fin d'une douloureuse rétention, qu'accompagne un cri de délivrance (806) rameutant les voisins pour assister à cette manière d'accouchement purulent. Le symptôme instaure une manière d'équivalence entre la rétention maternelle et l'inconsistance du Père. Au-delà de la mise en forme littéraire d'une revendication œdipienne agressive à l'endroit du père, la déchéance d'Auguste ne désigne-t-elle pas, dans l'incapacité à soutenir la cause du Père, la cause de ce malheur d'être né qui corrompt le regard porté sur le monde?

Le discrédit d'Auguste, manifeste dans l'expression de l'exécration que lui voue la grand-mère (« Mon père, elle l'avait en haine »), affecte l'ensemble de la branche paternelle. Pas un de ses membres ne semble apte à soutenir la cause perdue du père. L'oncle Antoine, employé des « Poids et Mesures », et sa femme Blanche s'économisent, s'allègent à force d'abstinence et de silence en un long suicide de quarante années. Comme Auguste, ils n'ont de cesse de « s'espacer », de s'absenter : le jour de leur mort, le quartier avait déjà perdu le souvenir de leur existence. Ils employèrent leur vie à démentir le destin que leur assignaient les « Poids et Mesures », à acquérir la légèreté d'un nuage. Même légèreté chez tante Hélène. Chez elle, la chair devint musique ; emportée par le souffle de son nom (« Elle a pris tout le vent dans les voiles », 557), elle se fit naturellement grue, envolée jusqu'en Russie où elle a fini sous les balles d'un officier. Légèreté de mœurs identique chez l'oncle Arthur, qui vécut « en vrai bohème, en marge de la société, dans une soupente, en cheville avec une bonniche » *(Ibid.)*, qui lutinait à l'occasion Clémence et partageait l'amour d'Auguste pour les bateaux et le dessin. Façon singulière de prendre le vent dans les voiles. Pour n'avoir pas l'imagination maritime, l'oncle Rodolphe n'en fait pas moins naufrage : il épouse (comme son frère) une « ribaude », sombre dans la mélancolie et refuse la mort de Rosine auprès de laquelle, chaque soir, il continue de s'allonger, jusqu'à ce qu'on l'arrache de force au cadavre qu'il voulait porter « sur un crochet », poids montrant sa (dé)mesure et dont il faut l'alléger. Déclassés ou dépravés, les membres de la parenté d'Auguste participent de la déchéance du père dont ils sont la croix (les débordements d'Hélène donnent la nausée au père de Ferdinand). La galerie de portraits minables rapidement campés à l'orée du récit de l'enfance préfigure le naufrage personnel d'Auguste.

Signe de l'inconsistance du père, leur insignifiance contraste avec la consistance romanesque des membres de la branche maternelle : Caroline, la grand-mère, l'objet des seules manifestations de tendresse de Ferdinand ; l'oncle Edouard, « le frère à maman », moderne, habile, « pas dépensier », qui « réussissait très bien dans la mécanique » et qui saura occuper le moment venu la place du père. Ouvrant la possibilité d'une suppléance, le dispositif romanesque transforme le rabaissement d'un père en chance de la fonction paternelle. Voire !

Allégé, cotonneux, inconsistant, le père ne saurait soutenir le coup de son propre meurtre. Le passage à l'acte de Ferdinand, presque au centre du roman, n'a pas d'autre valeur emblématique que de manifester l'impossibilité à faire entrer dans la réalité le mythe du père mort repéré par Freud. La tentative d'assassinat a, semble-t-il, pour seule fonction de favoriser la découverte concrète de l'inexistence du père ; après coup, le narrateur en demeure ébahi : « Jamais je l'aurais cru si faible, si mou... C'était la surprise... je suis étonné » (824). Très vite d'ailleurs, Ferdinand se désintéresse d'accomplir ce meurtre qui, appliqué à une baudruche, n'aurait pas suffi à faire exister le Père, et il tourne son agressivité contre la bonne, Hortense, dont la robustesse offre davantage de prise et permet une dérobade qui le laisse les mains vides. On ne s'étonnera pas que, payé le prix (une raclée infligée par les voisins) pour son forfait inaccompli, Ferdinand sente son corps lui échapper, se disperser :

Au bout d'un instant, tout seul, je suis pris par les tremblements. Des mains... des jambes... de la figure... et de dedans partout... C'est une infâme cafouillade... C'est une vraie panique des rognons... On dirait que tout se décolle, que tout se débine en lambeaux... Ça trembloche comme dans une tempête, ça branle la carcasse, les dents qui chocottent... J'en peux plus !... J'ai le trou du cul qui convulse... Je chie dans mon froc... (*Ibid.*)

La dissémination du corps devient le symptôme de l'incapacité à faire exister le Père par un meurtre, à fonder par la culpabilité le principe de consistance, de cohérence d'un corps et d'une vie. Faute de cela, le corps s'allège, se vide, s'espace de lui-même. Vomissements, diarrhées : symptômes d'un désir d'inconsistance qui permettrait encore de rejoindre le père.

La description de la tentative de meurtre d'Auguste préfigure la séance de dépeçage du cadavre de Courtial par le curé fou à la fin du roman, la résistance molle de la victime en plus :

> Je suis empêtré dans les bandes, j'ai les deux mains prises. Je tire. Je serre [...] Je m'enfonce plein dans la bidoche [...] Je lui trifouille dans les trous... J'ai tout gluant... mes mains dérapent... Il se convulse [...] Il se détend... Il devient tout flasque... Il est flasque en dessous mes jambes... (823)

Même volonté de rentrer « les deux mains dans la viande », de « s'enfoncer dans les trous » (1076). Même impression de flaccidité, de relâchement des tissus, de chair inerte que les mains peuvent déchirer. Ce rapprochement suggère que la folie souligne la nécessité du meurtre, d'un meurtre qui, faute d'avoir eu lieu symboliquement, fait retour dans le réel. Souvenir encore de Semmelweis fouillant un cadavre putréfié, après un séjour à l'asile, au terme d'une lutte contre Klin, dont il fut l'assistant (le fils ?). Klin, « un pauvre homme, rempli de suffisance et strictement médiocre » (S., 60)...

Mais si le corps du père a la même consistance flasque et gluante que le cadavre-fœtus de Courtial, n'est-ce pas laisser obliquement entendre à la fois que la rétention, qui fit le sujet né mort, entretient un rapport avec l'insignifiance du père et, qu'au-delà de la volonté de poser un principe de consistance, la tentative d'assassinat vise à permettre au sujet d'en finir avec lui-même ? Dans la lutte, Ferdinand enfonce son pouce dans la bouche du père qui le lui suce (« Je pense comment que je suis resté avec les mains prises devant, les doigts... la bave... et qu'il me tétait », 823). Voilà le père (re)devenu l'enfant, mais n'avait-il pas déjà été présenté avec un visage poupin « avec un nez comme un bébé tout rond »? (550). Un enfant avec lequel il faut en finir, pour en finir avec l'enfant qu'on est resté, avec l'enfant retenu faute du Père qui eût favorisé le passage au moment opportun. Significativement, la subjectivation après coup du passage à l'acte se traduit par une manière d'acte de passage; le corps de Ferdinand se trouve brutalement en proie à des contractions, « j'ai l'oignon qui ferme, qui s'ouvre... C'est la contraction... C'est horrible... » (824). Par là, le sujet tente de s'évacuer, montrant incidemment quel rôle s'avère dévolu au Père : signifier à la mère de lâcher prise.

Le père n'a pas besoin d'être absent pour manquer à la place où l'appelle le fils; les effets de sa présence importent moins que le désir que ce dernier lui prête. Le meurtre apporte une réponse à la question informulée de ce désir. Quel désir supposera-t-on à Auguste, feignant ainsi de croire que ce désir peut être autre chose que le travail de l'écriture? Le désir du père est ce qui se transmet au fils à son insu, qui transite au fil des générations d'un mâle à l'autre et s'appréhende à travers un rêve irréalisable, qu'il tient de son propre père, la marine : « Ç'avait été toujours son rêve d'être capitaine au long cours. Ça le rendait bien aigri comme rêve » (550). A la place de la marine, il a fait ses classes dans l'artillerie, pour mieux se condamner à n'arborer jamais que les insignes de ce désir (« Une fois sorti de son bureau, il mettait plus que des casquettes, des maritimes », *ibid.*), à en chercher la trace dans l'aquarelle et le dessin (« Je le voyais tard dessiner, des bateaux surtout, des navires sur l'océan, des trois-mâts par forte brise, en noir, en couleurs... », 552). Lorsqu'elle prétend reconstituer une réalité évanouie, la fiction se doit d'être au rendez-vous de ce désir, de montrer des « trois-mâts par forte brise », moins en couleurs qu'en noir, le noir des ciels bouchés des jours de tempête à Dieppe, des catastrophes guettant les bateaux essayant de trouver et de forcer le passage vers le port. On n'accoste pas plus facilement au quai qu'on n'aborde la vie. Pas sans casse. Après avoir été retenu trois jours au large, après que « la « dame » de la proue, la sculpture superbe s'est embouti les deux nichons » contre le môle des douaniers, le cargo venu d'Arkhangelsk pourra livrer sa glace, « l'iceberg au détail », les « énormes cubes éblouissants » ayant été concassés par l'abordage. Aussitôt le regard d'Auguste, soutenu par des jumelles d'emprunt, se porte ailleurs, vers un rafiot que la mer maltraite, sans qu'on sache s'il accostera jamais, les bourrasques bâillonnant le récit comme les spectateurs (« On étouffe dessous »). Le désir du père se repaît d'eau (d'*eau*-guste) et d'arrivées difficiles.

Le délire du fils devenu adulte prendra ultérieurement en charge ce désir, mais, par une analepse narrative, il en affiche de manière prospective le chiffre dès le prologue, lorsque la fièvre laisse voguer dans le ciel de Paris un vaisseau fantôme, aux destinées duquel préside un pilote non nommé mais dans lequel on reconnaît le père (« Je sais même qui tient la barre... Le pilote je le tutoye », 542) ; il prend trois rouleaux avant la Samaritaine, perd ses lumières à la Bastille et sombre dans la nuit. A la place, reviennent « les mille et mille petits canots au-dessus de la rive gauche... Ils avaient chacun dedans un petit mort ratatiné dessous sa voile... et son histoire... ses petits mensonges pour prendre le vent... » (544). L'enfant mort dit le naufrage du père et clame son désir : la mort du fils. Ce dernier, devenu adulte, sait insolvable le crédit ainsi tiré sur la mort, ce qui ne l'empêche nullement d'avoir à payer et à repayer ; il ne peut que se prêter au sacrifice par son propre forfait et renvoyer au père la signification de son désir : « Je donnerai le reçu au Capitaine pour qu'il revienne quai Arago, quand on montera les guillotines... » (*ibid.*). La non-linéarité du récit, commençant par l'évocation des délires de l'âge adulte avant de basculer dans l'enfance, évite l'adoption pure et simple du schéma œdipien par la fiction. Le meurtre du père y répond moins au désir de mort tourné vers le fils qu'il n'apparaît comme la condition de ce retrait du père qui conditionne la mise en œuvre de la fonction paternelle. L'inconsistance du père interdit au fils le meurtre symbolique qui lui permettrait d'échapper à la mort mêlée pour lui à la vie, au naufrage que provoque la tempête réveillée par l'écriture.

Pour le père, prendre consistance équivaudrait à trouver sa place dans un discours maternel qui sonnerait juste, et auquel le fils n'aurait rien à opposer. Même mort, Auguste n'accède pas à cette place, car l'effort de promotion du Père entrepris par Clémence s'avère forcé, déraisonnable :

> Que je tenais pas du tout de mon père... Lui si scrupuleux alors... si laborieux... si méritant... si déveinard... qu'est décédé l'autre hiver... Oui... Elle lui raconte pas les assiettes qu'il lui brisait sur le cocon... Non ! [...] Ma mère raconte pas non plus comment qu'il la trimbalait, Auguste, par les tifs, à travers l'arrière-boutique [...] Sur tout ça elle l'ouvre pas... Nous sommes dans la poésie. [...] Voila ce qu'elle raconte. Il me chérissait si fort papa, il était si sensible en tout, que ma conduite... les inquiétudes... mes périlleuses dispositions, mes avatars abominables ont précipité sa mort... Par le chagrin évidemment... Que ça s'est porté sur son cœur !... Vlan ! Ainsi que se racontent les histoires... Tout ça c'est un peu raisonnable, mais c'est rempli bien plus encore d'un tas d'immondes crasseux mensonges... (540)

Forcenée, l'idéalisation d'Auguste appelle en contrepoint la levée des silences à partir desquels elle s'opère. Elle échoue surtout en ce qu'elle attribue à Ferdinand adulte un meurtre qui, précisément, n'a pas eu lieu, dont le manque frappe par avance d'inanité l'entreprise de consécration du père qui demeure liée au ravalement du fils (« Elle recommence pour qu'elle comprenne combien j'ai été difficile !... Dépensier !... Insoucieux !... Paresseux !... », *ibid.*). Le « tas d'immondes crasseux mensonges » déloge le père de la place où Clémence prétendait l'introniser, cela interdit qu'il prenne consistance dans le discours de Ferdinand écrivain, qu'il devienne autre chose qu'un nuage de mots. Il reste une figure qui s'espace par les mots, dans des mots voués à consacrer sa déchéance.

Par cet excès, qui tente de rédimer après coup une carence, Clémence demeure fidèle à son époux toujours écartelé entre un « trop » et un « trop peu ». Le douloureux apprentissage de la dactylographie en fournit un exemple :

> Il passait devant des heures à essayer des « copies »... Il tapait dessus comme un sourd... Il crevait des pages entières... Ou bien il attaquait trop fort, ou bien pas assez, la petite sonnette arrêtait plus. De mon lit, moi j'étais tout près... Je le voyais bien s'escrimer... Comme il farfouillait dans les touches, comme il s'empêtrait dans les tringles... (779)

L'oscillation entre « trop fort » et « pas assez » conduit à s'emmêler dans les tringles ; la machine devient un corps dans lequel Auguste farfouille, comme plus tard le chanoine fou dans le cadavre fœtal de Courtial. La compulsion meurtrière qui saisit Ferdinand visait aussi à délivrer le père de cette confusion en lui brisant la machine sur la tête avant d'essayer de l'étrangler. Le meurtre du père n'a ici pas d'autre fonction que de sauver le Père. Le calvaire dactylographique d'Auguste a néanmoins le mérite de dessiner en creux ce que représente un père : un moyen terme entre un « trop » et un « trop peu », une place impossible à occuper cernée par l'escrime singulière de l'écriture.

Le meurtre raté d'Auguste aura tout de même le mérite de sortir Ferdinand de son milieu familial, de lui permettre de se refaire une santé chez l'oncle Edouard, puis de trouver un emploi chez Courtial. Bref, il quitte un père défaillant pour vivre aux côtés du Père, dont la présence apaisante résonne dans le nom de son nouveau patron : Roger-Marin Courtial des *Pere*ires. La figure tutélaire, dont l'exigence fut dessinée à travers la déchéance d'Auguste, apparaîtrait-elle enfin pour occuper la seconde partie du roman ?

Accueilli dans les locaux du *Génitron* pour y travailler « au pair », Ferdinand va y trouver une autre famille, réduite à l'instance paternelle, puisque Mme des Pereires reste dans son lointain pavillon de banlieue. Famille enfin délivrée de la mère, réduite de manière compensatoire au face-à-face du père et du fils, afin de favoriser une (re)naissance toute spirituelle, comme le nom du journal de Courtial — le *Génitron* — semble en faire la promesse. Renaissance qui se présente comme la participation à une aventure maritime (« Nous n'avons qu'un frêle esquif au vent de l'esprit [...] Vous embarquez ? Soit. Je vous accueille ! Je vous prends ! Soit ! Montez à bord ! », 850), là où Auguste n'invitait qu'au spectacle d'un naufrage.

Etre d'exception, dont la renommée a franchi les frontières, Courtial est plus qu'un père, un maître :

Courtial des Pereires, il faut bien le noter tout de suite se distinguait absolument du reste des menus inventeurs... il dominait et de très haut toute la région cafouilleuse des abonnés du Périodique... Ce magma grouillant de ratés... Ah non ! Lui Courtial Roger-Marin, c'était pas du tout pareil ! C'était un véritable maître !... C'était pas seulement des voisins qui venaient pour le consulter... C'était des gens de partout : de Seine, Seine-et-Oise, des abonnés de la Province, des Colonies... de l'Etranger voire !... (832)

« Maître de lui comme de l'univers », il souligne après coup les petitesses d'Auguste, victime des chicanes de son employeur, miné par les avanies constantes dont il est la victime. Présent sur tous les fronts de la science et du journalisme, rien ne lui est étranger. Il ignore les incertitudes :

> Courtial des Pereires, secrétaire, précurseur, propriétaire, animateur du *Génitron*, avait toujours réponse à tout et jamais embarrassé, atermoyeur ou déconfit !... Son aplomb, sa compétence absolue, son irrésistible optimisme le rendaient invulnérable aux pires assauts des pires conneries !... (832)

Figure triomphante de la Loi, il ordonne le chaos des opinions divergentes (« Il triomphait d'autorité... La chicane existait plus. » *Ibid.*) Omniscient, il légitime toute invention, scelle leur naissance symbolique par l'aval qu'il leur confère d'un article :

> Aucune révolution technique, tant qu'il tint la plume au journal, ne fut déclarée valable, ni même viable, avant qu'il l'ait reconnue telle, amplement avalisée dans les colonnes du *Génitron*. Ceci donne une petite idée de son autorité réelle [...] Il leur donnait pour mieux dire l' « Autorisation ». (836)

En somme un père. Mieux : le Père. Paternité symbolique qui se traduit par un souci éducatif constant, illustré par les ascensions en aérostat (« Que des envols démonstratifs ! des ascensions éducatives !... », 834).

Néanmoins, triomphe-t-il si radicalement d'Auguste ? C'est à voir ! Courtial ne se reconnaît qu'un maître, voire un dieu : Auguste Comte — dont il a synthétisé l'œuvre « au strict format d'une "prière positive", en vingt-deux versets acrostiches » (840). A l'instar du narrateur, Courtial se trouve placé sous la tutelle d'un Auguste qui « compte » pour lui. Petit employé fourvoyé dans la brocante, le premier Auguste ne cesse pas de compter, notamment le maigre pécule légué par Caroline, ce qui ne l'empêche nullement de « s'empêtrer jusqu'aux racines » des divisions, de « s'embarbouiller dans ses propres explications » lorsqu'il fait réviser son arithmétique à Ferdinand. Le philosophe, lui, n'aura appris à Courtial que le compte des syllabes poétiques, le laissant démuni en matière de comptabilité, enclin aux dépenses somptuaires et possédé par la passion des courses.

L'aérostat est d'ailleurs une manière de bateau. L'ascension est une navigation promise, on le verra, à des tempêtes moins spectaculaires mais tout aussi calamiteuses ; elle requiert non seulement une casquette mais un costume de capitaine. Ferdinand adulte verra dans son délire un navire voguer dans le ciel de Paris, à la manière d'un dirigeable. Voler n'est-ce pas, plus radicalement encore, s' « espacer », se fondre dans les nuages ? S'identifier littéralement à la baudruche paternelle ? Gonfler l'outre, comme Auguste entrait en ébullition, pour mieux donner à voir sa déconfiture ? Le ballon « pouvait bouffir qu'en plein vent... Tel un vieux jupon sur la corde », il rappelait à Ferdinand l'horreur des jupes maternelles soulevées, le ballonnement de la jupe de la cliente gigantesque du délire de l'enfance, tout ce contre quoi le père ne l'a pas prémuni. L'agonie du dirigeable scande la déchéance de Courtial et consomme celle du Père. Le *Zélé* a toujours manqué d'air ; à peine gonflé, il ne s'élevait guère au-dessus « du premier étage des maisons ». Peu à peu, « fendu, ravaudé, perclus de raccrocs », il ne s'arrache même plus du sol, jusqu'à ce dimanche fatidique de Pontoise où l'enveloppe se déchire et répand ses gaz nauséabonds « dans un bruit d'horrible colique » qui réveille le souvenir des puanteurs du Passage, cette cloche cloacale où, comme sous une enveloppe, Ferdinand étouffait et dépérissait. Le *Zélé* n'est qu'une enveloppe, une enveloppe trop souvent abîmée pour s'être déchirée, une fois pour toutes :

78

l'enveloppe du *Zélé* c'était une périlleuse affaire, en maints endroits une vraie passoire... D'autres déchirures ! D'autres raccrocs ! Toujours encore des plus terribles à chaque sortie, à chaque descente. (880)

Courtial ne désire-t-il d'ailleurs pas que Ferdinand la ravaude à chaque fois, demeure prisonnier de ces « rafistolages étranges » effectués dans l'ombre de la cave maternelle ? Déchirée, cette mauvaise peau ne libère pas pour autant, elle étouffe les figures de la Loi : « En plus, voilà l'énorme enveloppe qui redégringole sur les gendarmes !... Ça les étouffe, ils restent coincés dans les volants... Ils gigotaient dessous les plis !... Ils ont bien failli suffoquer » (907-908).

On n'en finit jamais avec l'enveloppe maternelle lorsqu'elle a pris dans ses plis les représentants du Père. Ainsi Courtial séjourne de plus en plus longuement dans la cave, couché dans les replis du *Zélé*, d'où il ressort « pâteux », « calmé », marchant « comme un crabe dans la diagonale », réduit à l'écholalie comme l'*infans* qu'il est redevenu (« Il faisait comme ça avec sa langue : Bdia ! Bdia ! Bdia ! », 867). Au vrai, la cave n'est jamais qu'une poche creusée dans la terre, une manière de sphérique inversé, tout comme la cloche de plongée destinée à retrouver l'or englouti, les pièces et les louis d'or et, éventuellement, le Louis qu'est aussi Ferdinand grâce à son premier prénom. Cloche propulsée contre la vitrine qui détruira le *Génitron*. De la béance, Courtial émerge comme un nouveau-né asphyxié :

Il émerge d'un profond glacis... Il se dépêtre à grands efforts !... Il a la gueule en farine [...] On le hisse ! [...] Il est sorti du cratère !... Il est indemne !... Il nous rassure !... Il a seulement été coincé, surpris, enserré, absolument fermé à bloc entre la cloche et la muraille [...] Il tempête [...] Il est poudreux, il fait pierrot, il perd sa bourre en cavalant... (962-963)

Empêchée comme toujours, cette naissance-là ne scelle pas l'avènement du Père, victime lui aussi de la rétention qui structure l'imaginaire du roman; elle s'avère plutôt n'être une mue destinée à confondre Courtial et Auguste, à effacer l'auguste image esquissée au début pour laisser apparaître l'Auguste, le clown blanc qu'est toute figure paternelle. A peine sorti des décombres, Courtial tempête, réveille les tempêtes paternelles de l'enfance. Ferdinand n'en sort décidément pas, retenu dans un imaginaire où le Père, à défaut de pouvoir être tué, reste à naître.

Pas plus qu'Auguste Courtial ne tient le coup devant son meurtre. En se donnant la mort, il se dérobe au geste meurtrier, cependant que son cadavre redevenu fœtus représente la conséquence de ce qui n'a pas eu lieu. Se hasarde-t-il à appeler sur sa tête le forfait qui ferait de lui un père (« Tu as bien voulu, n'est-ce pas, Ferdinand? supprimer ton père? [...] Maintenant! Que veux-tu? dis-moi? Me supprimer à mon tour? », 878-879), c'est pour s'entendre signifier le sort que le roman réserve à l'œdipe :

Maître! Maître! allez donc chier! que je lui faisais au moment même. Allez chier tout de suite! Allez chier très loin? Moi, je ne vous tue pas! Moi, je vous déculotte! (880)

En quoi consiste ce déculottage? Dans la révélation de la pourriture que dissimule le nom :

Il s'appelait pas Courtial du tout! [...] Il s'appelait pas des Pereires!... Ni Jean! Ni Marin! Il avait inventé ce nom-là! [...] Il s'appelait Léon... Léon Charles Punais!... Voila son vrai nom véritable!... C'est pas la même chose n'est-ce pas?... (1050)

Ce « Punais »[21] éventé par Irène réveille les miasmes de la décomposition des pommes de terre trop longtemps retenues dans la terre et exposées aux décharges des ondes telluriques, l'odeur d'œuf punais sentie au fond de la matrice de la Gorloge, la puanteur de tout ce qui n'a *pu naî* (tre)... Irène dévoile ainsi la charogne qu'est le Père, déjà mort, partant impossible à sacrifier, ni même à consolider pour qu'il échappe à sa propre décomposition.

Dans la plus pure tradition cratylienne, le nom célinien signifie, et la fétidité du patronyme trahit la pourriture morale du personnage dont le roman déculotte l'âme. Là encore, il faut laisser la parole à Irène pour décrire Courtial : « Il est je ne sais quoi ! Un vrai "Jean-Foutre" en personne !... Un vrai pillard ! Polichinelle ! Sale raclure !... Sauteur !... Un clochard » (975). Hâbleur, menteur, lâche, joueur invétéré, escroc, il est de plus exhibitionniste (« C'est là qu'il s'exhibe ! ses organes ! son sale attirail !... A toutes les petites filles ! », 915) — ce qui, somme toute, ne saurait surprendre chez quelqu'un qui réside à *Montretout*. Et un rien masochiste, allant jusqu'à prendre « trois fouettées coup sur coup ». Bref, un déchet, une puanteur morale. Auguste se dégonflait, des Pereires se décompose. Aucun substitut possible du père ne saurait résister à la déchéance physique et morale inscrite dans sa fonction. Merrywin — l'équivalent d'Auguste lors du séjour en Angleterre — sombre dans l'alcoolisme et le silence (« Il causait plus Merrywin... Il disait plus rien à personne », 757), ne vient même plus s'inscrire dans le scénario de la scène primitive qui consacrerait sa puissance sexuelle et affirmerait son droit sur la femme convoitée : Ferdinand croyait le surprendre en train de copuler avec Nora, il n'aperçoit qu'un ivrogne solitaire, hilare, nu, affalé devant le feu de la cheminée, tout juste capable d'enfiler un bilboquet...

Courtial n'est pas seulement un raté, c'est un ratage : le ratage de la fonction paternelle. N'entreprenant rien, Auguste n'échouait pas, il se dégonflait naturellement. Actif, Courtial condamne à la débâcle tout ce qu'il met en œuvre ; les différents concours ouverts tournent à la déconfiture matérielle et financière, le Familistère de Blême-le-Petit ne répond nullement à la vocation pédagogique qui lui avait été assignée. Ces échecs scientifiques et éducatifs trahissent le fiasco du père inapte à incarner la limite qui met à l'abri du pire. Loin de contribuer à la promotion de la Science et de l'Humanité, les concours attirent « une sarabande de possédés », « un défilé d'hurluberlus exorbités jusqu'aux sourcils, qui se dépoitraillaient devant la porte, gonflés, soufflés de certitudes » (954). Mieux, l'idée même du concours destiné à récompenser le bathyscaphe chargé de récupérer les trésors maritimes est fournie par un authentique aliéné avec lequel Courtial se met à délirer. D'un délire qui conduit la statue de Flammarion (la Science) à perdre la tête. Le père devrait tenir à l'abri de la folie et c'est lui qui y conduit. La vocation éducative de Courtial ne s'avère guère mieux assurée que celle de l'instituteur de Ferdinand, qu'on ne devait jamais déranger, ou de l'inspecteur qui souffla les réponses au narrateur le jour du certificat d'études, voire de Merrywin au Meanwell College. Elle est claironnée haut et fort afin que les faits montrent combien on échoue à la traduire dans la réalité et à la prendre en charge comme une dimension de la fonction paternelle. Fruit des Lumières et du Positivisme, le projet grandiose du « Familistère Rénové de la Race Nouvelle » imaginé par Courtial tournera bientôt à la farce. Destiné à régénérer la race, « loin des pourritures citadines », en lui offrant « un avenir pleinement champêtre assuré par les fruits d'un sain labeur », « de grandes joies ensoleillées, paisibles et totales », le Familistère n'aura à offrir à la « fleur des sillons », une bande de gamins désobéissants et teigneux, qu'une maigre pitance, et la bise glaciale en guise d'air sain. Inscrite à l'origine du projet, la faillite du père se manifeste à travers l'incapacité de Courtial à nourrir les « pionniers », à les encadrer moralement, bref à supporter les différentes modalités de la fonction paternelle. Livrée à elle-même, la bande écume la campagne, vole tout ce qu'il est possible de dérober, engraisse et se forme au gré des maraudes et d'une liberté sans limite, réglée par le seul besoin :

> Question de trouver la pitance, ils étaient devenus, nos mignards, merveilleux d'entrain, d'ingéniosité [...] Ils étaient pétulants d'astuce. Au bout de six mois de reconnaissances et de pistages miraculeux dans tous les terrains variés, ils possédaient jusqu'à la fibre l'orientation à l'estime, le dédale des plus fins détours, les secrets des moindres abris ! (1020)

L'abondance et la bombance signifient dans l'univers célinien un abaissement de la Loi. Gorloge parti à l'armée, sa femme et les employés se bâfrent avant de se livrer aux turpitudes sexuelles que l'on sait. Nul frein non plus aux appétits sexuels dans le Familistère : la Mésange, une « blonde aux yeux verts avec des miches bien ondoyeuses et des nénés tout piqueurs », est surprise à « prendre son pied » avec trois de ces compères. L'instance paternelle échoue à instaurer l'exogamie, à régler les échanges sexuels au sein de cette communauté qui perd rapidement toute idéalité pour prendre l'aspect d'une société très primitive, qui vit dans la terreur d'une grossesse de la Mésange et écarte les filles nubiles au moment de leurs règles. Aucune rivalité œdipienne au sein de cette horde primitive, puisque le père, tenu à l'écart de la compétition sexuelle, n'y accapare aucune femme, laisse voler la Mésange de ses propres ailes. Inversion significative, la bande d'enfants nourrit Courtial et Irène, avant de prendre la place du père nourricier, lorsque Courtial glisse vers l'impuissance de l'*infans* et s'apprête à redevenir fœtus. On ne mange pas le Père ici, on le fait manger.

Avec le Familistère sombrent les utopies passées et à venir de régénération morale par le travail. S'effondre la possibilité même de toute société qui ne soit pas gangrenée d'entrée et condamnée à n'offrir que le spectacle de sa propre décomposition. La fureur anticommuniste de *Mea*

83

culpa s'inscrit aussi dans l'idéal saccagé du Familistère de *Mort à crédit*. Le naufrage de la prétention éducative escorte la déconstruction du Père idéalisé, un déculottage qui révèle moins sa nudité que sa putréfraction. Charogne dont on ne parvient pas à se débarrasser, le père célinien renvoie au narrateur l'image d'une décomposition entamée dès l'origine, lorsque aucune instance ne vient séparer la vie et la mort.

L'impossible suppléance

Le Père n'est qu'une fonction. Qu'Auguste et Courtial échouent à la remplir implique-t-il qu'elle soit impossible à assumer? Qu'aucun autre personnage ne puisse y suppléer? Seul l'oncle Edouard, « le frère à maman », peut prétendre à cet office. Clémence ne s'y trompe d'ailleurs pas : à la place laissée vacante par Auguste, elle élit son propre frère :

> Ma mère admirait mon oncle. Elle aurait voulu que je lui ressemble. Il me fallait tout de même un modèle !... Mon oncle à défaut de mon père, c'était encore un idéal... Elle me disait pas ça crûment, mais elle me faisait des allusions. Papa, c'était pas son avis, qu'Edouard ça soye un idéal, il le trouvait très idiot, complètement insupportable, mercantile, d'esprit extrêmement vulgaire, toujours à se réjouir de conneries... (789)

Ce père déchu saurait-il, d'un savoir qui s'ignore, qu'il n'y a pas de suppléance à son manque originel? L'oncle Edouard, il est vrai, a tout pour séduire. Moderne, habile, économe, il réussit en affaires. Attentif aux malheurs de Ferdinand, il participe au financement de son séjour en Angleterre, l'accueille chez lui après la scène de violence avec Auguste, l'entretient sans le presser de rechercher un emploi. Entre autres vertus, Edouard possède celle du silence, la capacité à éluder les sujets douloureux que le père s'employait toujours à prendre violemment à bras le corps :

> L'oncle, il aimait pas qu'on en *[du régiment]* cause... Il aimait mieux parler des sports, de sa pompe, de boxe, d'ustensiles... de n'importe quoi... Les sujets brûlants ça lui faisait mal... et à moi aussi... (829)

Initiant aussi aux rituels scellant le passage à l'âge adulte (« Il m'a appris à me raser »), l'oncle fait montre d'une gentillesse si grande qu'elle suscite une manière de culpabilité, ce qui donne envie de se prendre en charge (« De le voir aussi généreux... et moi de lui rester sur le râble, ça commençait à me faire moche... », 341). Ferdinand connaît auprès de lui une paix sans égale, que couronnent ces moments de grâce que constituent les stations devant une reproduction de l'*Angélus* de Millet :

> Une reproduction, une immense, de l'*Angélus* de Millet... Jamais j'en ai vu d'aussi large !... Ça tenait tout le panneau entier... « C'est beau ça hein, Ferdinand ? » qu'il demandait l'oncle Edouard à chaque fois qu'on passait devant pour aller à la cuisine... Parfois on demeurait un instant pour le contempler en silence... On parlait pas devant l'*Angélus*... C'était pas les « Rois du volant » !... C'était pas pour les bavardages ! Je crois qu'au fond l'oncle, il devait se dire que ça me ferait joliment du bien d'admirer une œuvre pareille... Que pour une vacherie comme la mienne c'était comme un genre de traitement... Que peut-être ça m'adoucirait... (830)

En quoi consiste la vertu thérapeutique du tableau, sinon à donner à voir l'efficace d'une parole — symboliquement réduite à l'épure des signifiants égrenés par une cloche — capable de venir en tiers soumettre l'homme et la femme, régler les travaux et les jours, séparer le jour de la nuit, instaurer pacifiquement les différences ? Le tableau rend présente la Loi, qui n'est rien d'autre que le silence au-delà de la parole, le silence habitant la Parole. Sans doute est-ce là ce que goûtent l'oncle et le neveu, et tout particulièrement ce dernier, qui s'acharnait sur Auguste avant tout pour le faire taire (« Je vais lui écraser la trappe !... Je veux plus qu'il cause !... Je vais lui crever toute la gueule », 822), afin que, dans le silence instauré par le meurtre, une parole vraie puisse filtrer des vociférations paternelles. A cette quiétude, au travers de laquelle s'appréhende le caractère apaisant de la fonction paternelle, et à celui qui s'en fait l'agent, Ferdinand donne son consentement. Le premier séjour chez l'oncle Edouard s'achève sur un « Oui mon oncle !... » qui confirmerait que, là où le père fait défaut, le frère de la mère en tient lieu.

Le « non mon oncle » qui conclut le roman laisse alors à penser que la possibilité de la suppléance du père par l'oncle maternel va se trouver déconstruite, mais sans agressivité, subtilement. Cette déconstruction était déjà entamée avec le personnage de Courtial, dont la mort a permis le retour chez Edouard. Le second séjour s'oppose ainsi au premier. Les affaires de l'oncle ont pris un cours plus médiocre, l'obligeant à renoncer aux grands projets. La vieillesse semble avoir fait un bond vers lui ; sa vue a baissé (« Ah mon pauvre crapaud, à présent j'ai perdu mes yeux », 1095). Le sujet omniscient d'autrefois a perdu son savoir avec la mémoire :

> Il les avait sues l'oncle Edouard, autrefois les constellations... Il savait même tout le grand Zénith, un moment donné... du Triangle au Sagittaire, le Boréal presque par cœur ! Tout le « Flammarion » il l'avait su et forcément le « Pereires » ! Mais il avait tout oublié... Il se souvenait même plus d'une seule... Il trouvait même plus la « Balance » ! (*Ibid.*)

L'ignorance d'aujourd'hui révèle que l'oncle avait — du moins par ses lectures scientifiques — partie liée avec Courtial, le « Pereires » chez qui trônait une statue de Flammarion, avec qui il partage une passion pour le ciel. En cherchant le Zénith ne trouverait-on pas le *Zélé*, un dirigeable à la place d'une constellation ? Dès lors, l'insistance à montrer l'*Angélus* de Millet à Ferdinand prend un sens nouveau. L'oncle plaçait moins le fils rebelle devant le spectacle apaisant d'un univers soumis à la loi du Père qu'il n'attirait son regard vers le centre du tableau, vers la brouette presque dissimulée par l'obscurité, contenant des pommes de terre, anticipation des pommes de terre pourries et nauséabondes de Courtial qui figuraient la décomposition du Père et de l'idée de suppléance. S'étonnera-t-on que Ferdinand ait l'impression que les murs de la pièce occupée par la reproduction du tableau aient rapetissé, qu'ils se soient recroquevillés comme le cadavre fœtal de Courtial ?

Autrefois discret et silencieux, l'oncle est devenu disert et s'essaie notamment à retrouver la verve épique d'Auguste pour figurer à Ferdinand ce qui l'attend lorsqu'il aura opté pour la vie militaire. Pour ce faire, il entonne un clairon imaginaire qui rappelle le cor du chanoine fou se livrant à la curée sur le cadavre de Courtial. Son discours en appelle désormais aux parents, non seulement parce qu'il informe Ferdinand des nouveaux déboires du père, mais aussi parce qu'il s'approprie leurs anciennes doléances : « D'abord tu manges beaucoup trop vite... Tes parents te l'ont toujours dit... De ce côté-là, ils ont pas tort... » (1094), et se soucie davantage de son avenir, bref devient aussi fatigant que le père (« Il me la cassait l'oncle Edouard avec toutes ses perspectives », 1095). De ce point de vue, l'oncle remplace parfaitement le père, il est Auguste, donc inapte à pallier la carence ouverte par ce dernier. Qu'Edouard ait oublié la constellation de la Balance s'avère logique, puisqu'il ne peut plus incarner l'équilibre, la justesse, sinon la justice de la Loi et le juste milieu supposés constituer l'apanage de la fonction paternelle. Le « déculottage » ne dévoile finalement aucune pourriture, aucune indignité particulière, il se contente de montrer qu'Edouard ramène peu à peu à Auguste et à Courtial ; la suppléance opère à vide, elle reconduit le vide symbolique ouvert par le défaut d'un père auquel est

substituée une figure elle-même gagnée par l'insignifiance. Le « non mon oncle » qui conclut le roman signifie
aussi rétrospectivement à la mère que l' « oncle à défaut
[du] père c'était [pas] encore un idéal ».

Faute de suppléant du père, il faut le suppléer soi-
même et soutenir sa cause en jouant le père pour les
autres. Encore apprenti, Ferdinand entretient les Gorloge, nourrit Courtial avant de passer le relais aux « pionniers » du Familistère ; devenu adulte, il fait vivre Mireille
et la Vitruve à qui il confie la dactylographie de ses
manuscrits. Au-delà du meurtre impossible et du déculottage agressif du Père, l'écriture servirait-elle à pallier
son manque ? Ne donne-t-elle pas consistance à tout ce
qui s'avère nécessaire pour qu'un livre vienne rédimer
une naissance ratée ?

5. La naissance de l'écriture

Auguste, Clémence, Ferdinand. Papa, maman, moi et quelques autres, appelés comme doublures sur la scène du théâtre œdipien... Triangle connu, constitutif d'une pièce infiniment répétée. Renouvellerait-il le roman autobiographique par la subtilité de ses brouillages de la réalité vécue et de la fiction, *Mort à crédit* n'en décline pas moins les banalités du roman familial, la haine tenace et nécessaire d'un Œdipe ordinaire, si normal qu'il met à nu l'impasse structurale présidant au commerce des sexes, en sorte que l'universel se donne à lire à travers la singularité d'une expérience individuelle. Le style, le « rendu émotif » dont parle Céline, arracherait-il seul le roman à la banalité œdipienne ?

Rarement œuvre aura été plus inséparable de la vie, non seulement parce que Céline, du *Voyage* à *Rigodon*, nourrit son œuvre de sa vie mais parce que les aléas idéologiques de son œuvre ont influé sur sa vie, en ont dénudé la logique mortifère. Céline n'a jamais su ou pu se quitter, écrire autre chose qu'une nouvelle version de son roman œdipien. Qu'il commente Rabelais ou Zola, c'est encore de lui qu'il parle. Qu'il rédige un pamphlet ou un argument de ballet, il ne peut éviter d'y mentionner ses démêlés avec le Père. Qu'il tente de théoriser sa pratique d'écrivain, il a besoin d'inventer un personnage, de recourir à une fiction minimale. Ainsi les *Entretiens avec le Pr Y...* se présentent-ils comme le récit, entrecoupé de considérations théoriques et d'épisodes biographiques, d'un mini-voyage vers la maison Gallimard, durant lequel est symboliquement « déculottée » une figure de la Loi et de la Littérature, et révélée l'imposture d'un professeur derrière lequel se cachait un colonel. Procédé similaire à celui déjà utilisé dans *Mort à crédit* à propos de Courtial des Pereires.

Chez Céline, la littérature ne se pense pas en dehors de son exercice, l'activité réflexive reste intimement liée à la fiction qui contient sa propre théorie. Fondamentalement rien ne différencie *Mort à crédit* et les *Entretiens*, sinon que ces derniers, en inversant le rapport de la fiction et de la théorie, montrent que le roman célinien est aussi le roman de la littérature. Utilisée à la fin des *Entretiens*, la métaphore du bâton, qui a l'air cassé lorsqu'on le plonge dans l'eau et qu'il convient au préalable de casser pour qu'il paraisse droit, nous ramènerait d'ailleurs à *Mort à crédit*, au bâton de la jambe maternelle difficile à plier, à casser, sauf une fois, en Angleterre. L'écriture célinienne cherche à plier cette jambe maternelle pour s'en délivrer, à casser la phrase en l'ouvrant à la syntaxe de la langue parlée, en l'ajourant par les fameux trois points. En retour, la raideur — qui maintient la présence du phallus à la place d'où il faudrait le déloger — sert d'emblème à l'impossible délivrance de l'écriture. Dès lors, le goût de Céline pour la danse relève moins de la fascination érotique que d'une exigence poétique ; il parle d'ailleurs du « poème inouï, chaud et fragile comme une jambe de danseuse » (*Bagatelles pour un Massacre*, 12), comme s'il donnait à voir, dans le mouvement délié d'une jambe libérée de sa raideur, une écriture délivrée de la rétention qui la cause et la paralyse[22]. La danse rêve l'écriture.

Mort à crédit pourrait se lire, à plus d'un titre, comme un voyage au bout de la nuit de la langue. L'Angleterre en figurerait le terme et l'origine, le point à partir duquel, le langage n'ayant plus cours, l'écriture peut espérer atteindre à l'essentiel, au lieu de sa naissance, et se désoler après coup de l'impossibilité de ce retour et de la délivrance attendue.

On le sait, Ferdinand effectua deux voyages en Angleterre. Réduit à une incursion familiale d'une journée, le premier esquisse le scénario fantasmatique d'une naissance empêchée par le truchement de deux supplices infligés au corps maternel (vomissements et enlisement dans la glaise). Etalé sur plusieurs mois, le second séjour se compose de deux étapes. La première, errance nocturne vers le Meanwell College, réactive la mémoire inconsciente de l'excursion en famille ; la seconde se veut une résistance têtue à la langue dont les charmes ont pourtant été reconnus dès l'arrivée. Le séjour en Angleterre est davantage un voyage dans le temps et dans l'histoire inconsciente du narrateur qu'un déplacement géographique. C'est d'abord une bouffée d'enfance, le tourbillon d'une fête entrecoupée d'un « roupillon », l'ivresse d'un tour de manège donnant l'impression d'une immense sécurité :

> D'abord ça devenait d'une magie... Ça faisait tout un autre monde... Un inouï !... comme une image pas sérieuse... Ça me semblait tout d'un coup qu'on me rattraperait plus jamais... que j'étais devenu un souvenir, un méconnaissable, que j'avais plus rien à craindre, que personne me retrouverait jamais... (709)

Monde antérieur à la naissance et à l'émergence du sens où la langue recouvre la réalité d'un brouillard de rêve et en reconstitue l'altérité bienveillante, enveloppante :

> C'est bien agréable une langue dont on ne comprend rien... C'est comme un brouillard aussi qui vadrouille dans les idées... C'est bon, y a pas vraiment meilleur... C'est admirable tant que les mots ne sortent pas du rêve... (*Ibid.*)

91

Se tenir en deçà du sens permet d'échapper aux mots qui cherchent à créer un rapport à autrui et, devant l'échec de leur entreprise, scellent l'incapacité du langage à instaurer un lien authentique. Gwendoline est parée des charmes sirupeux de la fête tant qu'elle s'abstient de vouloir signifier quelque chose à Ferdinand. Dès lors qu'elle tente d'injecter du sens dans la continuité musicale de la langue en fractionnant les mots, en rompant l'enveloppe que la langue trame autour du monde, le narrateur se replie sur lui-même :

> Elle tente de me faire comprendre des choses... Elle doit m'expliquer... Elle me parle très lentement... Elle détaille les mots... Alors là, je me sens tout rétif !... Je me rétracte... Il me passe des venins... Je fais affreux dès qu'on me cause !... J'en veux plus moi des parlotes !... Ça va ! J'ai mon compte... Je sais où ça mène ! (710)

Ça ne mène nulle part, ça n'aboutit nulle part, sauf à la conscience d'un échec. Sans doute parce qu'en deçà du sens les mots, notamment ceux de la prière (qui présente une manière de quintessence du sens), relèvent d'une gymnastique articulatoire dont la violence ne laisse pas de renvoyer aux contorsions de l'enfantement :

> C'est étonnant comme ils arrivent à se torturer toute la bouche, la dilater, l'évaser comme un véritable trombone... Et se la rattraper encore... Ils en agonisent... Ils en crèvent dans les convulsions... (216)

Dès lors qu'il tente de saisir l'avènement des mots, Céline recourt à l'image d'un passage difficile, comme dans *Voyage au bout de la nuit* où le transit des mots, après avoir échoué sur la barrière des dents, est comparé à la défécation :

> Elles n'arrêtaient pas de venir juter les choses qu'il me racontait contre ses chicots sous les poussées d'une langue dont j'épiais les mouvements [...] C'est plus compliqué et plus pénible que la défécation notre effort mécanique de la conversation. Cette corolle de chair

bouffie, la bouche, qui se convulse à siffler, aspire et se démène, pousse toutes espèces de sons visqueux à travers le barrage puant de la carie dentaire, quelle punition. (336-337)

La défécation des mots équivaut à la naissance cloacale du langage qui rejoue la naissance du sujet. Elle demeure en butte à la même rétention, elle connaît les mêmes franchissements difficiles. On comprend que Ferdinand refuse tout au long de son séjour au Meanwell College de lâcher le moindre mot : « Pendant trois mois j'ai pas mouffeté ; j'ai pas dit hip ! ni yep ! ni youf !... J'ai pas dit *yes*. J'ai pas dit *no*... J'ai pas dit rien !... » (735). Céder aux invites pressantes de Nora, parler aurait conduit à revivre par la langue le transit douloureux d'une naissance impossible, à raviver le fantasme qui obture de son scénario l'origine manquante du sujet.

En deçà du sens des mots, la langue anglaise n'est que musique : « Je détestais pas l'intonation anglaise... C'est agréable, c'est élégant, c'est flexible... C'est une espèce de musique, ça vient comme d'une autre planète... » (738). Jouée par ce « sortilège de douceur » qu'est la voix de Nora, elle enveloppe dans l' « ahurissement », maintient dans un « gâtisme » où Ferdinand se retrouve frère de Jonkind. Le narrateur profite moins d'un séjour linguistique que d'un bain de langue, d'une langue amniotique qui restitue le bercement ahurissant d'avant la naissance. L'altérité de l'anglais permet de franchir l'écran du sens et d'atteindre au substrat le plus primitif de la langue, au temps le plus originel du sujet : elle restitue la part d'enfance de la langue située avant la naissance des mots. Aussi l'expérience anglaise découvre-t-elle ce qu'elle fut et ce qu'elle reste : une expérience d'écrivain authentique, même si le langage et toute communication semblent suspendus, en ce qu'elle offre la possibilité d'accéder par le silence et la stupéfaction à l'ombilic de la langue, à sa musique essentielle, à sa nuit profonde. La première étape du séjour anglais (arrivée au port et recherche du Meanwell College) restait orientée par la quête du sens et de la lumière d'un nom; la seconde, rebroussant chemin, n'en va pas moins de l'avant et recueille, dans l'écoute de l'altérité d'une langue débarrassée de sa fonction instrumentale, ce que l'écrivain aura à restituer dans son travail ultérieur, cet Autre de la langue que la musique nomme et qu'on dira maternel pour laisser entendre qu'il se situe en deçà de la naissance.

Cette musique ombiliquée dans la langue est un rêve de la langue. Elle s'est perdue avec le silence depuis que « le vacarme immense », les « quinze cents bruits » de la folie vrillent les oreilles du narrateur :

> Depuis la guerre ça m'a sonné. Elle a couru derrière moi, la folie... tant et plus pendant vingt-deux ans [...] Ma grande rivale c'est la musique, elle se détériore dans le fond de mon esgourde... Elle en finit pas d'agonir... Elle m'ahurit à coups de trombone, elle se défend jour et nuit. J'ai tous les bruits de la nature, de la flûte au Niagara... Je promène le tambour et une avalanche de trombones... (536)

L'ouverture de cet « Opéra du déluge » est rapportée à la blessure fictive à la tête reçue au début de la guerre qui, dans la mythologie célinienne, signe l'acte de naissance de l'écriture. Vingt-deux ans soustraits de 1936 donnent bien 1914 — date du trauma auquel l'écriture ne cesse de revenir — mais le quatorze qui s'entend là de manière insistante ne fait-il pas secrètement écho à celui qui résonne dans 1894, dans la date de naissance de Céline? Un trauma peut en cacher un autre. Dès lors, la détérioration de la musique s'avère liée à l'impossibilité de la naissance, à l'amplification brutale et à la cacophonie des bruits de la machine organique de la mère qui vont constituer la mémoire sonore de la rétention, contre laquelle l'écriture va devoir lutter en retrouvant dans la langue la musique antérieure. Au Meanwell College, Ferdinand n'apprend pas l'anglais; il n'en entend pas moins dans cette langue ce qu'il aura à retrouver dans sa propre langue, une fois devenu écrivain, pour supporter son vacarme intérieur qui donne sa substance sonore à la marque indélébile, imaginaire mais non moins vraie, de l'emprisonnement momentané au sein de la matrice.

A la différence de leur auteur, les personnages céliniens ne parlent pas anglais ; ils bredouillent quelques mots, restés qu'ils sont à l'état d'*infans* et désireux de demeurer à l'écoute de cette musique antérieure à la langue, dans une manière d' « ahurissement » qui les conduit à ressembler peu ou prou à Jonkind. Le « môme » ne parle pas ; il renvoie l'écho des propos prononcés par Nora qui lui tient lieu de mère, propos destinés à l'apaiser. Litanie qui encense la musique de ce fragment de langue arraché à l'Autre et qui, à ce titre seul, peut s'inscrire dans la mémoire de Ferdinand :

> Mme Merrywin le rassurait en deux mots, toujours les mêmes : *No trouble ! Jonkind ! No trouble !...* Il répétait ça lui aussi pendant des journées entières à propos de n'importe quoi, comme un perroquet. Après plusieurs mois de Chatham c'est tout ce que j'avais retenu... *No trouble, Jonkind !* (723)

L'effondrement de la discipline, le silence et les dérobades de Merrywin favoriseront néanmoins l'éclosion d'une autre phrase, déclinaison ou écho déformé de la première : « Ferdinand ! No fear ! » Ce balbutiement souligne la fonction de la parole : calmer l'angoisse (*trouble* ou *fear*) en la conjurant de l'injonction d'un « non ! ». L'opposition entre le « Ferdinand ! No fear ! » et le « No trouble ! Jonkind » réside moins dans la différence des destinataires que dans la structure des deux syntagmes qui, dans le second, marque, grâce à l'antéposition du nom et à la postposition du morphème désignant l'affect, une entrée dans le langage. Elle désigne aussi l'effet produit par le fait d'avoir été destinataire d'une parole : on peut nommer l'autre à l'aide de la parole reçue de l'Autre.

L'injonction apaisante (« No fear ! ») s'y avère subordonnée à la nomination (« Ferdinand ! »), comme si être appelé par son nom suffisait à fournir un baume à l'angoisse. Il y a là mise en perspective d'un apprentissage : celui du rapport du sujet à la langue, qui ne peut s'appréhender que par le détour d'une langue étrangère, de la langue réduite à son altérité et à une formule injonctive qui constitue la matrice de la phrase célinienne.

En amont, *Voyage au bout de la nuit* confirmerait la place privilégiée de l'anglais dans la fantasmatique de l'écriture élaborée par Céline. Frère aîné de Jonkind, comme lui double du narrateur, Robinson ne parvient pas à apprendre l'anglais et se compare à tous ceux qui n'en ont retenu que deux mots :

> Mais j'apprends pas l'anglais... Depuis trente ans dans le nettoyage y en a dans le même truc qui n'ont appris en tout que *Exit* à cause que c'est sur les portes qu'on astique, et puis *Lavatory*. (234)

Mots destinés à indiquer la sortie du cloaque, à favoriser une naissance imaginaire mettant un terme à la rétention. Plus tard, dans la nuit de sa cécité, Robinson ne se souviendra plus que de deux mots :

> ... en anglais, bien que j'aie jamais eu de dispositions fameuses pour les langues, j'étais arrivé à pouvoir tout de même tenir une petite conversation sur la fin à Detroit... Eh bien maintenant j'ai presque tout oublié, tout sauf une seule phrase... Deux mots... Qui me reviennent tout le temps depuis que ça m'est arrivé aux yeux : *Gentlemen first !* C'est presque tout ce que je peux dire à présent d'anglais, je sais pas pourquoi... C'est facile à se souvenir, c'est vrai... *Gentlemen first !* (329)

Deux mots, une formule de politesse plutôt, destinée à céder le passage, à forcer le passage, le *détroit* (le nom de la ville américaine assonne avec *destroy*, avec la destruction guettant celui qui ne franchit pas le détroit), bref à franchir la passe de la rétention. Comme ceux de Mallarmé, les « mots anglais » de Céline participent du fantasme qui vient à la place de l'impensable origine de l'écriture pour apaiser l'angoisse de sa prison prénatale et favoriser sa venue au monde.

Originaire ou non, le fantasme, Freud le montre dans *On bat un enfant...*, est moins une scène qu'une formule dont la syntaxe décline la fonction. Les bribes de phrases prononcées par Jonkind sont réductibles à deux éléments simples et permutables : l'expression d'un affect *(trouble, fear)* et un nom *(Jonkind, Ferdinand)*. Dans le second syntagme (« Ferdinand ! No fear ! ») l'expression de l'affect se trouve postposée ; le chiasme met en valeur dans le champ de l'écrit un des effets symboliques de la nomination qu'est la maîtrise d'un affect insoutenable, renvoyant à la part la plus douloureusement intime de l'histoire du sujet.

Le passage d'un nom à l'autre rend aussi compte du trajet à accomplir par l'écriture. *Jonkind*, grâce au détour déjà effectué par *Casse-pipe*, assonne avec *Jonquille*, le mot de passe oublié, la fleur improbable qui fait écran à *Marguerite*, le prénom maternel perdu puis retrouvé. Au-delà de son sens obvie et par des ramifications souterraines que le roman postérieur à *Mort à crédit* dégagera, le premier syntagme lie l'angoisse à la mère, fût-ce sur le mode de la dénégation. A l'inverse, le second se tourne vers le père. Qu'est-ce que *Ferdinand*, sinon le prénom paternel, *Fernand*, au cœur duquel se greffe un *di(t)*, ce dit produit par la parole vive dont Céline veut retrouver la singularité par l'écriture, ce dit constitué par « l'émotion du langage parlé à travers l'écrit » qu'évoqueront plus tard les *Entretiens* (p. 23) ? Et ce dit est bien d'ascendance paternelle, en relation étroite avec l'art de dire du père capable de tenir en haleine l'auditoire du Passage par la relation d'une visite à l'Exposition ou de l'excursion en Angleterre.

Du « No trouble ! Jonkind ! » au « Ferdinand ! No

fear ! », de l'angoisse de la rétention maternelle à l'éclosion d'un dit formulé au nom du père, se mesure le passage à accomplir pour autoriser la naissance de l'écriture. Arrachés à « l'ahurissement » et au silence engendré par la dépendance vis à vis de la mère, les mots de Jonkind écrivent la formule programmatique d'un fantasme scriptural qui indique le trajet à accomplir par l'écriture. Trajet par lequel cette dernière se représente son origine et entretient la fiction de sa possibilité. En s'enfilant les porteplumes dans les narines, en buvant l'encre, en ingurgitant les instruments de l'écriture, Jonkind invite le lecteur à plonger vers la racine organique de l'écriture et à explorer la formule qui livre le sens de sa fonction.

La légende maternelle de l'écriture

Placée sous l'égide de la mère, l'écriture s'étiole, telle la légende médiévale du roi Krogold dont le texte de *Mort à crédit* livre quelques bribes à peine plus consistantes que la litanie de Jonkind. D'où vient cette légende qui relève d'un moyen âge de pacotille ?

Entre *Voyage au bout de la nuit* et *Mort à crédit*, Céline, selon plusieurs témoignages, aurait rédigé un texte ayant « pour fonds la vie populaire au Moyen Age »[23] que Robert Denoël, son éditeur, aurait jugé « un galimatias, qui n'avait rien à voir avec le vrai Céline — franchement mauvais »[24]. En août 1933, date à laquelle Céline commence *Mort à crédit*, il écrit à Denoël : « Dès votre retour, voulez-vous m'envoyer ma légende qui est chez vous ? Je vais l'utiliser. » Dès lors, comment ne pas identifier cette légende avec celle du roi Krogold évoquée à plusieurs reprises au début de *Mort à crédit*, qui reprendrait ainsi des fragments d'un texte finalement perdu, dont le manuscrit aurait été dispersé avec la fin

98

de *Casse-pipe*, si l'on en croit deux passages de *Féerie pour une autre fois II* (*N.*, 96 et 341) ? Nul ne connaîtra jamais l'état véritable de ce texte perdu, ni même s'il exista indépendamment des discours tenus sur lui. Les témoignages restent incertains et seul importe réellement le statut que les romans confèrent à cette Légende. *Féerie II* souligne son inachèvement, en la classant parmi les « chers manuscrits en souffrance » (*N.*, 96), et son indestructibilité (elle a échappé aux flammes lors du bombardement de Montmartre).

De son côté, *Mort à crédit* la présente comme fragmentaire, dispersée, perdue puis retrouvée, décevante enfin. Dans le prologue, le narrateur évoque ces « bouts de Légende... de la pure extase... » introuvables dans le désordre des papiers ou dans le capharnaüm de la Vitruve. Un fragment en sera retrouvé sous un lit puis donné à lire. La perte du manuscrit s'inscrit dans la logique tracée par *Mort à crédit* ; elle soustrait définitivement à la biographie fictive élaborée par l'œuvre un texte à l'existence incertaine, par essence perdu afin d'être retrouvé, par bribes, dans le texte qui en accrédite la fiction. Elle scrute à l'aide d'une fiction l'origine même de l'activité scripturale ; Céline soulignera ultérieurement son antériorité sur ses autres productions (« y a du "Roi Krogold"... "la Volonté du Roi Krogold"... œuvre commencée il y a trente ans ! », *N.*, 341). Refait-elle surface, c'est pour décevoir :

> J'étais bien déçu de la relire. Elle avait pas gagné au temps ma romance. Après des années d'oubli c'est plus qu'une fête démodée l'ouvrage d'imagination. (522)

Inadéquate au souvenir qu'on en conservait et au présent de l'écriture, elle se donne pour une manière de texte résiduel. A l'instar de l'objet du désir, la Légende est un objet textuel perdu d'entrée pour mieux réapparaître comme objet retrouvé, inadéquat au désir, la trace d'une césure initiale qui ne peut être pensée que par le détour d'une fiction. La Légende se met au service d'une enquête sur la cause de l'écriture, grâce à la fiction d'un texte sans consistance qui se retrouve et se perd dans le roman en train de s'écrire. La réalité du texte de la Légende, primitivement indépendant de *Mort à crédit*, importe donc assez peu ; seuls méritent attention ce qu'en dit le roman et la fonction qu'il lui attribue en son sein.

La Légende appartient à l'histoire du lignage maternel. La vue du livre feuilleté par le petit André (un autre double imparfait, à l'instar de Jonkind) ramène le narrateur à la grand-mère :

> Je regarde aussi ce que ça racontait... C'était l'histoire du roi Krogold... Je la connaissais bien l'histoire... Depuis toujours... Depuis la Grand-mère Caroline. On apprenait là-dedans à lire... (646)

Elle offre un espace textuel à une communion fusionnelle avec la grand-mère lors d'un apprentissage mutuel de la lecture qui abolit la différence des générations. Aussi représente-t-elle la filiation maternelle de l'écriture, une filiation remontant à l'origine même de la mère, là où Louis-Ferdinand alla quérir son nom d'écrivain. De même, les « bouts de Légende » dont il est question dans le prologue renvoient aux bouts de dentelles rafistolés par la mère. Et la métaphore commerciale (« C'est dans ce *rayon*-là que je vais me lancer désormais », 516), chargée d'imager la direction donnée à l'écriture par la Légende à l'orée du roman, se réfère au négoce de la mère et de la grand-mère, toutes deux marchandes à la voilette et brocanteuses ? La Légende place l'écriture sous le sceau maternel ; la preuve ultime en est, là encore, fournie par Jonkind, ébloui par les dorures d'un livre qui raconte en images des « Templiers à la charge !... Une hécatombe de cavalerie », un récit médiéval, sans doute tiré des *Belles aventures illustrées* qui ont servi de matrice à la Légende, et sur les pages duquel il sème des fleurs :

> Jonkind, ce qui lui semblait le plus prodigieux, c'était la belle dorure des tranches... ça l'éblouissait, il allait cueillir des pâquerettes, il revenait en semer plein sur nous, il bourrait les marges avec... (750)

La brassée de pâquerettes ensemence autant de « marguerites » sur les pages du livre, y inscrivant le prénom de la mère.

Matrice du roman en train de s'écrire, la Légende en révèle les obsessions. Son archaïsme ancre dans l'universel l'expérience de la mort, actualisée dans le présent du récit par le décès de Mme Bérenge. Le premier de ses sept fragments[25] donne la parole à la Mort qui dialogue avec Gwendor à l'agonie; les autres multiplient l'évocation des mêlées sanglantes et des meurtres, dont celui du garde égorgé par Krogold pour avoir dérobé le croissant d'or offert par le Khalife. Barbare et violente, la Légende aurait pour emblème l'étendard du roi, un « serpent tranché, saignant au ras du cou ». La violence thématique s'y veut à l'unisson de la violence imposée à son texte et au roman. Le démembrement des corps donne une image de sa fragmentation en unités textuelles disjointes, sans rapport diégétique, et de la dislocation du récit entraînée par l'enchâssement de lambeaux narratifs extérieurs. L'ancrage maternel de l'écriture laisse planer une menace sur le texte qui tente de s'en libérer.

La mort s'insinue aussi dans l'écriture par la voie du signifiant; elle corrompt les noms en y inscrivant sa matrice phonétique /or/ qui résonne dans Gwend*or*, dans le nom de la tour — la *More*-hande — sur laquelle flotte l'étendard sanglant de Krogold, ou dans la nationalité de la nourrice du prince — la *Mor*-ave (la Mort have) — et, au-delà de la Légende, dans le nom de la *Gor*-loge dans les bras de laquelle Ferdinand faillit étouffer. L'écriture dissimule mieux encore son œuvre, en inversant notamment les graphèmes de son cœur pour mieux marquer de son sceau K*ro* gold (roi soleil qui rutile de l'or signifié par la seconde partie du nom *gold*), *Ro*-dolphe et *Ro*-sine, C*aro*-line dont le deuil paraît si difficile à accepter. Le signifiant assure dans la totalité du roman la dissémination de ce maternel mortifère mis en scène par la Légende.

La mort se trouve naturellement liée à la naissance. L'âme de Gwendor agonisant est revisitée par un rêve d'enfant récurrent, rêve qui le visitait dans son berceau :

> Le rêve qu'il faisait souvent quand il était petit, dans son berceau de fourrure, dans la chambre des Héritiers, près de sa nourrice la Morave, dans le château du roi René. (523)

Le texte de ce rêve n'est pas livré ; de fait, il importe moins que l'appropriation de la part oubliée de l'enfance admise par la mort, moins que la fermeture de la boucle qui vient superposer la mort et la naissance pour figurer, en raccourci, le thème clef du roman. La mort restitue le rêve sur l'origine que la vie avait occulté ; aussi allégorise-t-elle la cause nécessaire d'un passé *re-né* que le roman accueillera dans la « chambre des Héritiers » qu'il construit, lorsqu'il aura commencé après avoir franchi la passe du prologue. Néanmoins, héritier de la Légende qui « renaît » en lui, le roman se trouve inscrit dans une filiation maternelle qui l'hypothèque, le voue aux aléas de la dissémination, et même d'une dissolution requérant quelque six cents pages, le temps d'assurer l'irrémédiable déchéance de l'instance paternelle.

La Légende déchaîne la violence contre les figures paternelles ; l'annonce de la mort du père de Joad est annoncée (« Il va tuer le père à Joad... ça fera toujours un père de moins... », 540), comme celle de l'humiliation de Krogold, le père de Wanda. Rien n'est toutefois accompli,

là comme plus tard dans le roman lors du meurtre raté
d'Auguste et du meurtre confisqué par le suicide de
Courtial. Le texte sous influence maternelle refuse
l'image du forfait chargé de représenter le transfert symbolique sans lequel ne naîtrait jamais une écriture libérée
de son passé légendaire. Un fragment profile cependant la
condition de cette naissance. Krogold met fin à la guerre
en lâchant ses chiens affamés dans la cathédrale, bientôt
vidée des partisans de Gwendor qui s'y étaient réfugiés, et
lance son épée sur l'autel. Façon brutale de réduire un îlot
de résistance — ou mieux une poche de rétention —, de
s'assurer violemment le passage afin de favoriser la naissance de la paix. Fichée dans l'autel, l'épée appelle au
sacrifice, au meurtre de Krogold qui scellerait symboliquement, de façon définitive, à la fois la paix et la promesse de l'œuvre à venir. Le fragment suivant, où Wanda
rêve d'humilier son père Krogold pour venger la mort de
Gwendor, suffit à montrer que le sacrifice ne fut pas
accompli.

Récit fragmenté en abîme, la Légende profile la thématique générale du roman et met en perspective, à travers
les vicissitudes d'un roman familial violent et mouve-
menté, les aléas d'une écriture, aux prises avec son origine
maternelle, qui, tout en sachant que sa délivrance passe
par la voie du père, ne parvient pas à l'emprunter.

Le texte de la Légende demeure inaudible. Destinataire d'une première lecture pour avis, Gustin Sabayot a
besoin de multiples explications (« Il a voulu que je lui
explique encore tout... le pourquoi?... Et le comment?... », 523), sans que celles-ci l'éclairent. Il finit
d'ailleurs par s'assoupir, façon d'échapper à l'insupportable ennui ou à ce qu'a d'incommunicable le fantasme
qui s'y étale (« Gustin il n'en pouvait plus. Il somno-
lait... Il roupillait même », 524). Figurait-il, de manière
anticipée, les réactions de la critique lors de la sortie du

livre ? La Légende ne saurait servir de médiation à une relation avec le prochain ; le narrateur a beau raconter au petit André un épisode que son volume des *Belles aventures illustrées* ne rapporte pas, celui-ci refuse de redonner sa confiance à Ferdinand qu'il soupçonne d'avoir voulu lui voler son emploi. Tout comme Ferdinand plus tard, lorsque Nora rouvrira la Légende, il refuse de prononcer la parole qui restaurerait la complicité ancienne ou, dans le contexte du séjour en Angleterre, qui favoriserait le partage de l'amour.

Archaïque en son fond et en son principe, la Légende n'est pas susceptible d'actualisation et d'ouverture à d'autres matériaux narratifs. Le texte donné à lire par le narrateur adulte ne se différencie pas de celui de la Légende lue pendant l'enfance ; les aventures et les personnages de l'épisode dévoré par le petit André sont identiques à ceux des fragments livrés dans le prologue. Ferdinand propose une association littéraire à Mireille — une figure de la narration (« Elle savait aussi raconter de très belles histoires, comme un marin elle aimait ça », 520) : en contrepartie d'anecdotes sexuelles, il enrichira la Légende d'épisodes nouveaux :

> Tu me raconteras des saloperies... Moi je te ferai part d'une belle légende... Si tu veux on signera ensemble ? [...] Je lui ai garanti qu'il y aurai partout des princesses, et des vrais velours à la traîne [...] Et puis voilà finalement comme notre histoire s'emmanchait... (533)

Suit le second épisode de la Légende, dont le récit se trouve bientôt abandonné au profit d'une interrogation sur le désir féminin, sur le fantasme qui réglerait la jouissance des femmes : « On a quitté ma belle Légende pour discuter avec rage si le grand désir des dames, c'est pas de s'emmancher entre elles... » (534). Le signifiant *s'emmanchait*, qui matérialisait la collaboration littéraire (« *notre* histoire ») et qui offrait le texte comme l'espace possible d'une union des sexes, introduit au secret d'un désir tourné vers les femmes, niant la possibilité même de l'union, et lui substitue le morcellement du corps auquel ne peut répondre que le morcellement du texte de la Légende suivi, à terme, de la disparition de ce corps textuel démembré.

La Légende résulte d'un avortement narratif dû à une trop longue rétention du texte. Aussi paraît-il naturel qu'elle ait été recueillie par la faiseuse d'ange, par la Vitruve, dont l'abjection adultère ses « véritables merveilles » (« Je l'ai accusée de dissoudre exprès ma jolie Légende dans ses ordures même... », 519). Sans même considérer le contenu des cinq fragments livrés par le prologue, force est de constater qu'ils se fondent bien dans le roman jusqu'à s'y dissoudre. Le premier (523-524) rapporte le dialogue de la Mort et de Gwendor. Echange verbal précédé par une mise en perspective de la situation qui constitue un véritable récit enchâssé ouvrant une autre scène dans le roman ; la grandiloquence rhétorique assoit l'autonomie du récit (« l'amour n'est que fleur de vie dans le jardin de la jeunesse »). Purement descriptifs, les autres fragments, dès lors qu'ils sont introduits par des guillemets, ne paraissent que des résumés d'épisodes, de longues didascalies (« Nous sommes à Bredonnes en Vendée... C'est le moment des Tournois... », 533). Mieux : ce sont des notes préparatoires à un texte ultérieur, jamais abouti, impossible à écrire. Le cinquième n'a même plus le support de l'écrit ; il n'est que la projection mentale de l'épisode (« Je *vois* Thibaud le Trouvère... Il a toujours besoin d'argent... Il va tuer le père à Joad... », 540). Le texte se liquéfie, s'efface tout seul.

La Légende opère dans le texte comme le *Çakya Mouni*, avec lequel elle entretient plus d'un rapport. Tout comme elle, le bijou d'or a été l'objet d'un long et minutieux travail de ciselure, d'un « boulot raffiné », d'une reprise incessante visant la perfection (« Antoine continuait le petit bonze, il le fignolait à ravir », 673) et la copie exacte (« Il était la copie "au poil" ») d'une œuvre antérieure, la Légende reproduisant les récits médiévaux lus autrefois avec la grand-mère dans les *Belles aventures illustrées*. Le texte maternel se voit condamné à la répétition indéfinie du même ; il adhère sans médiation à la réalité qu'il se contente de reproduire. L'or dans lequel il est ciselé ne brillait-il pas déjà dans le nom des acteurs de la Légende (G*wendor*, K*ro*g*old*, M*ore*hande...) comme il réfléchit celui qui allume l'appétit de la G*or*loge se faisant appeler *Louis*-on (luisons...) dans l'intimité ? Une poche, la poche de Ferdinand fermée par des épingles de nourrice (évidemment), espère le retenir ; il en disparaît pourtant, quasi mystérieusement, à la faveur d'une scène érotique où Ferdinand paraît revivre les affects de sa naissance inaccomplie... Nul ne reverra jamais le bijou, emporté, noyé qu'il fut sans doute lui aussi par la luxure. Victime de la circularité de sa propre jouissance, le texte maternel disparaît lorsque surgit une autre jouissance. Il demeure sans avenir, il représente l'impossibilité même de la littérature.

La difficile naissance de l'écriture

Nourrissant le roman de fragments hétérogènes plus anciens, la Légende a le même statut que le premier dirigeable de Courtial, l'*Archimède* avec lequel Ferdinand ravaudait le *Zélé* :

Quand il manquait toute une bande, j'allais faire un prélèvement dans la vieille peau de l'*Archimède*... Il était celui-là plus que des pièces, des gros lambeaux dans un placard, en vrac, au sous-sol... C'était le ballon de ses débuts, un « captif » entièrement « carmin », une baudruche

106

d'énorme envergure. Il avait fait vingt ans les foires !... J'y mettais bien de la minutie pour recoller tout, bout à bout, des scrupules intenses... Ça donnait des curieux effets... Quand il s'élevait au « Lâchez-tout » le *Zélé* au-dessus des foules, je reconnaissais mes pièces en l'air... Je les voyais godailler, froncer... Ça me faisait pas rire. (882)

Les « pièces », les lambeaux arrachés à ce texte primitif, offrent une matière disloquée à un autre texte, nécessairement hétéroclite, caviardé, sans unité. Seconde, l'écriture célinienne n'est pensée que sur le mode du ravaudage, du rafistolage, d'une restauration imparfaite et toujours recommencée d'un texte antérieur qui, tel le *Zélé*, ne parvient qu'à grand peine à tenir l'air et se dégonfle. Façonnée par l'importance de la place concédée à la narration et par son inspiration médiévale nordique, l'altérité de la Légende représente l'ensemble des matériaux (fragments autobiographiques bruts ou travaillés, souvenirs de *L'Eglise*, de *Progrès*, du *Voyage*...) brassés, mis bout à bout, « emmanchés » dirait Céline, pour faire tenir un roman dont la longueur (« ça aura huit cents pages au moins »[26]) provient moins de la profusion de l'inspiration que de la tension désespérée pour faire décoller le texte, pour le doter d'une légèreté qui le mettrait à l'unisson de l'inconsistance du Père. L'écriture célinienne n'amalgame pas, ne synthétise pas les matériaux dont elle se nourrit : elle empile, colle, imparfaitement. Le texte ressemble au capharnaüm où s'entasse la production de Courtial (« toute l'œuvre de Courtial était là, en vrac, en pyramides, jachère... », 845). Mais les emprunts « froncent », « godaillent » ; le texte fuit, la déchirure et l'avortement spontané menacent l'enveloppe laborieusement (re)constituée. Céline s'étonna pourtant que la critique fît la fine bouche devant le rebut qu'il lui donnait en guise de roman...

Outre qu'elle crée l'impression d'un texte déchiré et ravaudé, la mise bout à bout de fragments hétérogènes participe à la rétention de l'écriture. Le prologue du roman est composé de détours qui retardent la confession autobiographique. L'évocation de la mort de Mme Bérenge place la naissance du texte sous l'égide de la mort et l'oblige à un repli, à une évocation de la consultation de la petite Alice qui le détourne de son but initial (la rencontre avec Gustin Sabayot) et ramène à *Voyage au bout de la nuit*, non seulement parce qu'il faut emprunter la « rue des Casses qui est longue et sans lampe aucune » (513) et située au bout de la nuit, mais aussi parce que l'enfant malade rappelle le petit Bébert du premier roman, et que les violences subies par la mère font écho aux misères sexuelles de la banlieue de *Voyage*. « Médecin lui aussi », « expert en joli style », Gustin réside « de l'autre côté de la Seine, à la Chapelle-Jonction », au-delà de la Seine qui gela l'année de naissance de Ferdinand. Il est à la fois un double de l'auteur, la part de lui-même qu'il lui faut rejoindre au-delà de ce qui est gelé dans sa vie, afin que le texte nouveau naisse, et un double du père (son nom *Gustin* entretient l'écho de celui d'Auguste* dont il n'est que le diminutif) destinataire et juge du texte. Surgi de la nuit de la mémoire puisqu'il rappelle Tom, le chien de grand-mère Caroline, un petit chien boiteux prend le relais de la mère de la petite Alice. Par son insistance à suivre le narrateur, à le « coller », il l'empêche de poursuivre son voyage, d'opérer la jonction avec un nouveau texte. Il représente l'hypothèque maternelle qui, pesant sur l'écriture, lui interdit de trouver au bout de la nuit la lumière d'une naissance. L'impuissance à atteindre le principe paternel qui fonde l'écriture se trouve ainsi corrélée à la boiterie maternelle ; elles enferment le texte dans la répétition de ce qui a déjà été écrit.

Les acteurs de cette première séquence sont polysémiques. La claudication du petit chien évoque la mère pour mieux désigner l'affliction qu'elle inflige au fils et à l'écriture. Significativement, le narrateur pense à enfermer le chien et à téléphoner à la « Protectrice » de venir le chercher. Averti du risque de mort attaché à cette protection quasi maternelle, l'animal file à l'anglaise :

> Mais c'était un chien trop craintif. Il avait reçu des coups trop durs. La rue c'est méchant. Le lendemain en ouvrant la fenêtre, il a même pas voulu attendre, il a bondi à l'extérieur, il avait peur de nous aussi. Il a cru qu'on l'avait puni. Il comprenait plus rien aux choses. Il avait plus confiance du tout. C'est terrible dans ces cas-là. (515)

L'identification du chien et du narrateur ne saurait faire oublier que le sort du texte se joue à cet instant ; le bond à travers la fenêtre constitue un passage à l'acte de l'écriture s'arrachant à la répétition de *Voyage*. Elle n'en trouve pas pour autant sa voie, même si elle met résolument en perspective le passage à franchir pour que cesse sa rétention.

Dans les autres paragraphes du prologue, l'écriture erre, entasse les souvenirs, personnels ou non, esquisse les biographies de Gustin, de la Vitruve, de Mireille, cherche son origine maternelle à travers les fragments de la Légende, s'hallucine dans le récit de délires fébriles... Véritable capharnaüm, le prologue endigue le cours de l'écriture autobiographique par l'amoncellement de matériaux hétérogènes. Lorsque cette dernière trouve enfin son cours, c'est au prix d'une rupture radicale. Il a fallu déchirer l'enveloppe du prologue où elle paraissait retenue, puis franchir le pas de l'évocation de son commencement à travers la mort du siècle :

> Le siècle dernier je peux en parler, je l'ai vu finir... Il est parti sur la route après Orly... Choisy-le-Roi... C'était du côté d'Armide où elle demeurait aux Rungis, la tante, l'aïeule de la famille... (544)

Avec ce siècle, qui avait « choisi le roi » et ses « ors », enfui « du côté d'Armide », meurent l'imparfait du subjonctif (« Elle ne conversait la tante qu'à l'imparfait du subjonctif. C'étaient des modes périmées [...] Il était temps qu'elle décampe », 545) et une forme de romanesque afin qu'une autre émerge, au terme de la lente parturition du prologue qui a obéré sa naissance.

Le père et l'écriture

Dès le prologue, la somnolence de « l'expert en joli style », Gustin Sabayot, à l'audition de la Légende qu'on lui demande de reconnaître, laisse mal augurer de la capacité des figures paternelles à prêter corps à ce que doit représenter le Père dans le roman familial de l'écriture : un principe de consistance et une condition de possibilité. Consistance d'un texte échappant à la dispersion et à la dissolution qui ouvre un passage à l'écriture.

Au-delà du rôle qu'ils jouent dans la vie et dans le roman de formation du narrateur, Auguste et Courtial incarnent des conceptions différentes de l'écriture ; elles restent pourtant frappées d'une même impuissance. Auguste possède l'élégance de l'artiste qu'il n'est pas devenu : il a du style, cette légèreté naturelle, cette dentelle de l'écriture qui fait mousser l'insignifiance du sens, ce qui suffit à attirer l'inimitié des envieux et le condamne à reprendre sa copie pour lui donner du poids, en y inscrivant l'empreinte du sens :

> Mon père, il avait du style, l'élégance lui venait toute seule, c'était naturel chez lui. Lempreinte, ce don l'agaçait. Il s'est vengé pendant trente ans. Il lui a fait recommencer presque toutes ses lettres. (551)

L'aquarelle pallie l'écriture contrariée ; le dessin promet les bateaux au naufrage, esquisse des mêlées meurtrières, anime de puissantes danseuses, tout ce qui mobilisera le désir de Ferdinand :

> Seulement plus il montrait son beau style, plus Lempreinte le trouvait odieux. Pour éviter la rancune il s'est lancé dans l'aquarelle [...] Je le voyais tard dessiner, des bateaux surtout, des navires sur l'océan, des

trois-mâts par forte brise, en noir, en couleurs. C'était dans ses cordes... Plus tard des souvenirs d'artillerie, des mises en batterie au galop, et puis des évêques [...] Et puis des danseuses enfin, avec des cuisses volumineuses... (552)

Un exemple du style d'Auguste est fourni avec la lettre adressée à Ferdinand lors de son séjour au Meanwell College (761-763). Rédigée en un style soutenu et digne, qui tranche singulièrement avec la langue adoptée par le narrateur, la missive convoque les ressources de la rhétorique pour signifier à Ferdinand la rupture des liens familiaux au terme d'une démonstration qui a, tour à tour, souligné l'indignité du narrateur, évoqué les malheurs familiaux et esquissé un avenir désespéré; la rigueur de sa construction distrait du vagabondage auquel le narrateur livre habituellement l'écriture. Complétant des informations déjà livrées ailleurs, annonçant des développements futurs, la lettre, à la différence de la Légende, ne fonde son altérité que sur le style. Elle paraît rassembler et synthétiser toutes les lettres comminatoires envoyées à Ferdinand pour le sommer d'apprendre (et que le roman n'a pas restituées), là où la Légende fragmentait sans retenue son texte. Toutefois, cette densité apparente du texte paternel ne saurait leurrer : il est miné de l'intérieur par l'usage — illégitime au regard de la rhétorique du texte — des trois points qui l'ajourent comme une dentelle, l'espacent et le privent du poids nécessaire à sa performance. L'inconsistance de son auteur est contagieuse.

Auguste incarne encore l'illusion d'une littérature transformant la réalité par la parole. Son récit de l'Exposition universelle tient le Passage en haleine durant quinze jours :

Papa il racontait les choses avec les quinze cents détails... des exacts... et des moins valables [...] Les autres pilons, ils demeuraient la gueule ouverte... Ça c'était de l'admiration. Papa leur foutait du mirage au fur et à mesure, absolument comme on respire... Y avait magie dans notre boutique... le gaz éteint... Il leur servait à lui tout seul un spectacle mille fois étonnant comme quatre douzaines d'Expositions [...] Ils sont revenus tous les soirs pour écouter encore papa et toujours ils en redemandaient. (581)

Un mot, un seul, écrit par la Méhon, suffit à rompre le charme et à dégonfler le narrateur (« Papa avait plus rien à dire »). Le voyage en Angleterre est l'objet d'une surenchère de « bobards » qui portent précisément sur la dissolution du père et tentent de faire oublier sa défaillance :

> On peut dire qu'il en avait vu des choses prodigieuses... et des fantastiques... des inouïes... des parfaitement imprévues... au bout de la route... tout là-bas après la falaise... Quand il était dans les nuages... entre Brigetonne et l'ouragan... Papa tout seul absolument isolé !... Perdu entre les bourrasques... entre ciel et terre... (628)

Ces histoires (« des mirages ») conduisent immanquablement au récit d'un naufrage (« Le bruit s'est répandu bientôt qu'on avait eu un grand naufrage »), pis : au naufrage de la raison ; rendue folle par les séances du conteur auxquelles elle n'est pas conviée et qu'elle n'a pu contrarier, la Méhon sombre dans le délire et doit être internée... Loin d'apaiser les tempêtes, le texte oral brodé par le père, avec la complicité de la mère qui le « contredisait pas », conduit à la folie.

Les récits d'Auguste incarnent une perversion complète du matériau autobiographique. Non seulement, ils ne serrent pas d'assez près l'expérience et ne peuvent médiatiser les affects antérieurs qu'elle ressuscite, mais ils pâtissent de l'inconsistance de leur auteur ; les mots n'y sont que des nuages soulevés par la bourrasque. Le Père est le vent de la parole qui n'accède pas à l'écrit. Auguste a beau s'échiner des heures à essayer des « copies », à taper « comme un sourd » sur sa machine, rien ne s'écrit. Il attaque toujours trop fort ou pas assez. La lettre qui donnerait consistance au texte, ce serait comme le Père, un juste milieu, entre un excès et une carence. Faute de savoir adopter cette position moyenne, il s'empêtre dans les tringles de la machine. Embarras à entendre comme une incapacité à utiliser le potentiel signifiant du nom du Père : à jouer des touches, à être un « Destouches »[27]. Il n'en finit jamais avec les jambages, comme le remarque Lempreinte, c'est-à-dire avec la mère. Le texte paternel — qui s'autoriserait du nom du Père — ou bien ne s'écrit pas, ou bien prend la forme d'une lettre à la rhétorique désuète, où l'écriture perd son poids pour n'être plus qu'une dentelle passée de mode sur le marché littéraire et pulsionnel comme celles que Clémence essayait de placer.

Là où Auguste péchait par défaut d'écrit, Courtial pécherait plutôt par excès. Son soixante-douzième ouvrage, après un succès mondial, n'en est-il pas à sa trois centième édition ? Une « famille au moins sur quatre [ne] possédait[-elle pas] dans son armoire une *Astronomie des Familles*, une *Economie sans Usure* et la *Fabrication des Ions* » (848) ? L'écrit scientifique prendrait-il la relève de la rhétorique « augustinienne » nourrie des bons auteurs latins ? Rien de ce qui peut s'écrire ne demeure étranger à Courtial, rien ne s'invente qui ne reçoive son « Autorisation », rien ne naît qui ne se trouve baptisé par écrit au *Génitron*. Le « maître » excelle aussi bien dans les œuvres de longue haleine que dans le genre bref, dans la prose scientifique que dans la vulgarisation en vers. Son chef-d'œuvre, c'est « l'œuvre complète d'Auguste Comte, ramenée au strict format d'une "prière positive", en vingt-deux versets acrostiches !... » (840). Une œuvre de poids, qui représente « des masses considérables ! De quoi lire pour plusieurs hivers, plusieurs kilos de récits... » (848). Est-ce suffisant pour le rendre solide, pour lester de son poids d'écrit la figure du Père ?

Multiforme, la production de Courtial s'emploie à lutter contre les tempêtes qui condamne au naufrage le texte paternel, car il faut parfois lutter contre la légèreté non par le poids mais par la souplesse. Ainsi fait le « Chalet polyvalent » qui « s'accommode, se dilate, se ratatine suivant la nécessité, les lois, les forces vives de la nature ! » (869), qui « plie beaucoup, mais ne rompt pas... » et résiste là où sombre une structure « plus massive » et « mieux cimentée ». *Chalet polyvalent* dont l'exemplaire unique, construit à partir de l'opuscule du même nom, fut exposé dans la Galerie des machines, en 1898 — date où se redouble le dix-huit, le chiffre qui, à travers le destin de Semmelweis, lie la naissance à la mort. A peine présentée au public, l'œuvre exemplaire de Courtial est annihilée par la foule, cette manifestation moderne de la Nature chez Céline :

> L'exemplaire unique ne fut point détruit à proprement dire, il fut aspiré, absorbé, digéré entièrement sur place... Le soir de la fermeture, il n'en restait plus une trace, plus une miette, plus un clou, plus une fibre de tarlatane... L'étonnant édifice s'était résorbé comme un faux furoncle ! (870)

L'œuvre du maître se trouve anéantie, comme si elle avait été réengloutie par la matrice qui l'avait enfantée. L'écrit de Courtial ne fonde rien, ne laisse pas de trace ; il ne prolifère que pour s'effacer et donner à voir le spectacle bouffon de sa disparition. Courtial est à l'écrit ce qu'Auguste était à la parole : une hypertrophie inconsistante de la langue inapte à incarner le principe autorisant la naissance d'une écriture libérée.

Ne restent des écrits de Courtial que les titres et l'enveloppe de ces écrits qui, à l'instar des dirigeables se déchirant et se dégonflant dans un bruit de flatulence nauséabonde, se fragmentent et donnent l'impression d'un pullulement — annonce des vers rongeant les pommes de terre soumises au bombardement tellurique. Son œuvre tend naturellement à la pourriture, à l'indifférenciation qui efface les marques d'identité textuelle :

> ... toute l'œuvre de Courtial était là, en vrac en pyramides, jachère... On discernait plus le dictionnaire, les cartes des traités, les mémoires oléographiques dans le tumulus dégueulasse. On pénétrait

> au petit bonheur, en tâtonnant un peu la route... on s'enfonçait dans une ordure, une fuyante sentine... dans la tremblotante falaise... Ça s'écroulait d'un coup. (845)

Bref, elle ne permet pas de s'orienter. Ni d'orienter l'écriture de l'apprenti : elle l'égarerait plutôt. Ne dresse-t-elle pas une « tremblotante falaise » rappelant les falaises où les nuages escamotaient un père ? Ne trace-t-elle pas des « sentines » identiques à celles que s'ouvrait Krogold dans la Légende maternelle ? Elle ne délivre de rien, assurément pas de la rétention maternelle vers laquelle elle se trouve irrésistiblement conduite et dont l'indistinction générique, l'inanimé textuel constituent le but ultime, tandis que les avatars de l'impossible pourrissent l'écriture célinienne. Tel le fragment de dirigeable qui sert à envelopper le cadavre fœtal de Courtial, son œuvre littéraire offre un linceul au Père. La naissance de l'écriture s'y avère à jamais contaminée par la mort.

Le délire et la scène primitive de l'écriture

L'écriture a besoin d'une scène primitive où représenter son origine, d'une scène sur laquelle elle verra se rejouer la double affliction — maternelle et paternelle — qui paraît l'avoir portée au jour. Chez Céline, cette scène a partie liée avec le délire qui gagne brutalement sur le récit et le soumet à une accélération vertigineuse multipliant les personnages et les images, rendant encore plus haletante l'écriture. Les trois scènes ouvertement délirantes de *Mort à crédit* renvoient, on l'a vu, au roman familial de Ferdinand. La première qui corrige Mireille et fait jouir celle qui ne jouit pas conduit à la mère infirme de la jouissance. La seconde laisse voguer dans le ciel de Paris le navire paternel et les canots contenant les cadavres d'enfants morts, le cadavre du fils sacrifié au désir du père. Le troisième, enfin, ramène à la mère et à l'impossibilité de franchir le passage de la naissance. Les trois scènes sont bien évidemment scandées par force vomissements rappelant l'effort du corps pour échapper à l'angoissante rétention du ventre maternel corrélée à l'impuissance meurtrière du père. D'une exceptionnelle densité, le troisième délire — le plus ancien puisqu'il remonte à l'enfance — synthétise les deux autres. Sa partie finale offre une manière de généalogie de la poésie, de l'écriture célinienne.

Dès lors que la cliente géante, dont la robe servait de refuge, s'est évanouie, la foule s'est précipitée vers le Passage et s'est échouée devant les grilles fermées. L'impossible retour fournit l'occasion d'une évocation des hommes de la parenté qui règle par avance des comptes servant à fixer le cadre et les caractéristiques de l'écriture. Exeunt les prétendants à la suppléance du père, l'oncle Edouard et, implicitement, avec lui Courtial :

> Le pauvre oncle Edouard est écrasé presque aussitôt avec son tricycle à pétrole au pied de la statue bordelaise... Il en ressort qu'un peu plus tard, par la station Solférino avec son baquet du tri, soudé, remonté sur son derrière comme un escargot... (591-592)

Fin des représentants d'une modernité et d'une technique triomphantes, aux pieds d'une statue — du Père en majesté — où ils sont condamnés à ramper comme des escargots, si proches des larves qui grouillaient dans les pommes de terre de Courtial. De même, l'oncle Rodolphe invite à renoncer au Moyen Age :

> Contre le socle à Jeanne d'Arc j'entrevois le temps d'un éclair, Rodolphe parfaitement souriant... Il met son « Troubadour » aux enchères... Il veut s'acheter un « Général »... C'est pas le moment de le déranger... (592)

Troquer son « Troubadour » contre un « Général » n'est-ce pas sacrifier — comme Jeanne d'Arc le fut — la

Légende médiévale et maternelle, se débarrasser de ce corps textuel destiné à habiller l'écriture mais impossible à ressaisir dans sa plénitude primitive, en le disséminant comme les cendres de la sainte avec l'espoir qu'il s'oubliera dans le texte nouveau? Corrélativement, n'est-ce pas appeler un habillage de l'écriture, qui entretienne l'illusion de l'existence d'un Maître et qui donne consistance à une figure de la Loi, dégagé de l'engluement archaïque et maternel de l'écriture que représente le Moyen Age? La fantasia barbare de la foule, « cette colline de bidoche coincée » obstruant tout passage, légitime l'appel au père :

Mon père à côté de moi gémit : « Si seulement j'avais une trompette !... » Dans le désespoir il se dépiaute, il se fout à poil rapidement, il grimpe après la Banque de France, le voilà juché sur l'Horloge... Il arrache l'aiguille des minutes... Il redescend avec. Il la tripote sur ses genoux... Ça le fascine... Ça l'émoustille... On pourrait bien tous s'amuser... (592)

Posséder une trompette ferait-il d'Auguste un général ou le doterait-il de l'instrument qui confirmerait sa position de clown blanc? Un père ou sa caricature? Pour être un père, il faut grimper sur la Banque de France, sur ce qui, sur celle qui représente l'argent, Clémence, qui tient dans le ménage les cordons de la bourse et assure les revenus du ménage grâce à son maigre commerce et à l'héritage de Caroline. Par le jeu de l'homophonie, se jucher sur l'*Horloge* revient à monter sur la *Gorloge*, à prendre la place d'Antoine dans le rodéo sexuel épié et substitué à la scène primitive manquante pour faire enfin jouir la mère dont l'insuffisante jouissance afflige le fils, partant l'écriture. De même, arracher l'« aiguille des minutes » n'équivaut-il pas à ôter celle qui fait un angle comme la jambe maternelle atrophiée, dont la claudication génère une musique qui hante l'enfance de Ferdinand (« Ma mère clopinait à la traîne... Ta! ga! dac! Ta ga », 655) et qui marque de

son empreinte indélébile le rythme de la phrase célinienne?

Auguste redescendu, l'illusion qu'il ait pu faire jouir la
mère et arracher le signe de son atrophie s'envole : le voilà
qui s'amuse à « tripoter » l'aiguille et s'en « émoustille »,
bref à manipuler par homonymie l'instrument de ravaudage des dentelles maternelles qui métaphorise le versant
maternel de l'écriture, la capacité de cette dernière à
s'ajourer de manière à rendre l'inconsistance du père par
sa propre inconsistance. En un mot, la scène primitive qui
eût assuré à l'écriture le transfert nécessaire à sa consistance n'a pas eu lieu. Dérobée au sujet en proie au délire,
elle ouvre dans le texte un trou dans lequel s'engouffre la
« cavalcade de la Garde » écrasant la Comédie-Française
où « la belle artiste la "Méquilibre" au fond de sa loge,
s'acharne sur sa poésie... » (593). Faute de cette scène primitive nécessaire à la figuration de l'origine de l'écriture,
la poésie (Céline s'est toujours voulu « un auteur lyrique ») ne peut trouver son équilibre, elle est condamnée
à essayer de se « rincer [de] la craquouse » des femmes
dont elle reste prisonnière comme l'enfant qui n'a pu s'en
dégager. Elle perd même l'équilibre et « bascule au fond
du foyer », du volcan qui la consume comme s'y est
consumée la vie du narrateur :

> Il ne reste plus rien au monde, que le feu de nous... Un rouge terrible
> qui vient me gronder à travers les tempes avec une barre qui remue
> tout... déchire l'angoisse... Elle me bouffe le fond de la tétère comme
> une panade tout en feu... avec la barre comme cuiller... Elle me quit-
> tera plus jamais... (593)

Ce grondement des tempes est à rapprocher du « vacarme
immense », des « quinze cents bruits » de la folie évoqués
à l'issue du premier accès délirant de l'âge adulte, de cette
musique « coincée », détériorée au fond de l' « esgourde »
qui « ahurit à coups de trombone » et fournit la matière de
l'écriture célinienne à partir de *Mort à crédit*. De ce

« rouge terrible », qui obture le défaut de conversion, de passage symbolique nécessaire à l'écriture et qu'elle ne peut appréhender que par la fiction d'une scène primitive, les « douze pures symphonies de cymbales », orchestrées par tous les romans encore à venir, donneront l'équivalent musical. Spectacle composé à partir de l'increvable scénario parental, le délire donne à voir par accès ce que la douloureuse musique de l'écriture est condamnée à faire entendre : l'impossibilité qui la hante et dont elle tire sa substance.

Le roman familial de Ferdinand peut donc se lire comme le drame de l'écriture célinienne naviguant entre deux écueils : l'imagination pure, tirant profit d'un enracinement pulsionnel archaïque, et le gonflement verbeux du matériau biographique inapte à s'incarner dans un écrit, oscillant entre la dissolution et l'inconsistance. Maintenir le cap entre ces deux naufrages, c'est aussi une façon de ne pas sombrer, de parer au malheur d'être né en ramenant l'écriture au traumatisme qu'elle se crée pour obturer l'impensable orifice d'où elle provient. Un traumatisme imaginaire à cause duquel le roman demeure en sursis, avorté, inabouti. Un traumatisme néanmoins nécessaire au passage de l'écriture, voire à l'écriture.

Notes

1. Lettre de 1936 à H. Mahé, citée par H. Godard, *Céline. Romans I*, Paris, Bibliothèque de la Pléiade, NRF, Gallimard, 1981. Les citations de *Voyage au bout de la nuit* et de *Mort à crédit* sont empruntées à cette édition ; celles de *Casse-pipe* et de *Guignol's band I and II* à *Céline. Romans III* du même éditeur (1988), celles d'*Un château l'autre*, de *Nord* et de *Rigodon* à *Céline. Romans II* (1974). La thèse de Céline, *La vie et l'œuvre de Philippe Ignace Semmelweis*, est citée d'après l'édition parue chez Denoël en 1936, *Bagatelles pour un massacre* d'après l'édition Denoël de 1937 et *Normance* d'après l'édition Gallimard de 1954.

2. Les passages censurés ne seront définitivement rétablis que dans la seconde édition de la Pléiade, en 1981.

3. Cf. H. Godard, édition citée, p. 1402.

4. Lettre du 28 février 1948 à Milton Hindus, *L.-F. Céline tel que je l'ai vu*, Paris, Editions de l'Herne, 1969, p. 182.

5. Propos à J. Guenot et J. Darribehaude, *Des pays où personne ne va jamais*, *Cahiers de l'Herne*, n° 3, Paris, 1963, p. 41

6. Interview de Céline par A. Parinaud, *Cahiers Céline*, n° 2, Paris, Gallimard, 1976, p. 83.

7. Contrairement à une légende entretenue par l'écrivain lui-même, « Céline » n'était que le troisième prénom de Marguerite, Louise Destouches, née Guilloux.

8. Lettre à Lucienne Delforge du 26 mai 1935, *Cahiers Céline*, n° 5, Paris, Gallimard, 1979, p. 263.

9. Lettre du 4 novembre 1932, *Cahiers Céline*, n° 5, *op. cit.*, p. 43.

10. L'essentiel de cette étude était rédigé lorsque parut l'ouvrage de P. Bonnefis (*Céline. Le rappel des oiseaux*, Lille, Presses Universitaires de Lille, 1992) qui, avec talent et infiniment de subtilité, dégage aussi « une obsession de l'accouchement » analysée il est vrai dans une autre perspective. Notre lecture croise plus particulièrement les p. 44-45, 118-129 et 139-146 du livre de P. Bonnefis.

11. Dans la synopsis d'une troisième partie de *Mort à crédit*, rédigée au Danemark en 1946, Céline fait mourir Virginie après son accouchement.

12. Sur cette séquence, cf. J.-C. Huchet, *Le voyage au bout de Noirceur-sur-la-Lys*, *Littérature*, n° 37, Paris, Larousse, 1980, p. 37-52.

13. Comme le nom de la ville-lumière de *Voyage*, celui du collège anglais conjoint dans sa partie initiale des éléments sémantiquement opposés. En anglais,

mean signifie « minable » et *well* « bien » ; ce qui est minable s'avère être bien en même temps et réciproquement.

14. Sur cette séquence, cf. J.-P. Richard, Céline et Marguerite, *Critique*, n° 353, 1976, p. 919-935.

15. La chanson des Gardes suisses placée en exergue à *Voyage* est en fait le *Chant de la Bérésina* chanté par le régiment suisse de la grande armée de Napoléon à l'aube du jour du passage de la Bérésina lors de la retraite de Russie. Cf. H. Godard, éd. du *Voyage, op. cit.*, p. 1291, et P. Bonnefis, *op. cit.*, p. 52-53.

16. Mémoire pour le cours des Hautes Etudes, *Cahiers Céline*, n° 3, Paris, Gallimard, 1977, p. 200-201.

17. Louis Destouches est né le 27 mai 1894, 11, Rampe du Pont à Courbevoie.

18. Fernand Destouches mourut le 14 mars 1932 d'une congestion cérébrale, à la veille de la parution de *Voyage au bout de la nuit* (octobre 1932). Henri de Graffigny, modèle de Courtial des Pereires, disparut en juillet 1934.

19. Le père de Louis, Fernand Destouches, se prénommait aussi Auguste, comme son propre père, Auguste Destouches (1835-1874), professeur de rhétorique au Havre.

20. *Cahiers Céline*, n° 8, Paris, Gallimard, 1988, p. 138.

21. Ce nom apparaît déjà dans *Progrès*, une pièce écrite par Céline en 1927 et qui constitue, à maints égards, une première version de *Mort à crédit* non encore dégagée du *Voyage*. Il est attribué à une femme dont le gendre, Gaston, a déjà certains traits du père de *Mort à crédit*. Employé d'assurance, il est notamment en butte à l'hostilité de ses confrères et d'un certain Lempreinte, sous-chef de bureau. Cf. *Progrès, Cahiers Céline*, n° 8, *op. cit.*, p. 13-68.

22. Cf. sur le rapport de la boiterie et de la danse, l'analyse subtile de P. Bonnefis, *op. cit.*, p. 110-116.

23. Propos de L. Descaves rapportés par *L'Intransigeant*, cité par H. Godard, *op. cit.*, p. 1339.

24. Propos de G. Milon et C. Robert-Denoël, rapportés par H. Godard, *ibid*.

25. 1er fragment : p. 523-524 ; 2e : p. 524 ; 3e : p. 530 ; 4e : p. 533 ; 5e : p. 540-541 ; 6e : p. 648 ; 7e : p. 648. Les fabuleuses batailles, qui assurent la victoire des Templiers sur les Barbares, illustrées dans le livre de Nora, constituent sans doute un 8e fragment de la Légende (751-752).

26. Lettre à Robert Denoël du 3 août 1933.

27. Jusqu'à son mariage et à la poursuite d'études de médecine (1919), Céline signe son courrier « Louis-Ferdinand Des Touches », en souvenir du mythique ancêtre breton, campé par Barbey d'Aurevilly, ou du calvaire dactylographique de Ferdinand prêté à Auguste...

Repères bibliographiques

Almeras P., Eros et pornos. A propos des passages censurés dans « Mort à crédit », *Céline. Actes du 2ᵉ Colloque international de Paris (27-30 juillet 1976)*, 1978, p. 297-306.

Bellosta M.-C., *Le capharnaüm célinien ou la place des objets dans « Mort à crédit »*, Paris, Minard, 1976.

Benard J., La lettre du/au père, *Céline. Actes du Colloque de Toulouse (5-7 juillet 1990)*, Société d'Etudes céliniennes, Du Lérot édit., 1990, p. 23-32.

Bonnefis Ph., *Céline. Le rappel des oiseaux*, Lille, Presses Universitaires de Lille, 1992.

Debrie N., *Il était une fois... Céline*, Paris, Aubier, 1990.

Denoël R., *Apologie de « Mort à crédit »*, Paris, Denoël & Steel, 1936.

Gibault F., *Céline*, 3 vol., Paris, Mercure de France, 1972-1985.

Godard H., Céline devant Freud, *Céline. Actes du Colloque international de Paris (17-19 juillet 1979)*, Société des Etudes céliniennes, Université de Paris VII, 1980, p. 19-30.

Godard H., *Poétique de Céline*, Paris, Gallimard, 1985.

Huchet J.-C., A la limite. Céline, *Dires*, n° 8, Montpellier, 1990, p. 92.

Jeffry A., *L'expression et la signification de l'espace dans « Mort à crédit »*, thèse de 3ᵉ cycle, Paris, Université de Paris IV, 1975.

Krance C., Le récit comme provignement : « Mort à crédit », *L.-F. Céline. Actes du Colloque international d'Oxford (22-25 septembre 1975)*, *Australian Journal of french studies*, XIII, 1976, p. 64-79.

Kristeva J., *Pouvoir de l'horreur. Essai sur l'abjection*, Paris, Seuil, 1980.

Montaut A., La séquence de l'Angleterre dans « Mort à crédit », *Céline. Actes du Colloque international de Paris (27-30 juillet 1976)*, 1978, p. 76-90.

123

Muray Ph., Mort à credo. Céline, le positivisme et l'occultisme, *L'Infini*, n° 10, 1985, p. 26-44.

Muray Ph., *Céline*, Paris, Seuil, 1981.

Otrovsky E., Céline et le thème du roi Krogold, *Cahiers de L'Herne*, 5, 1965, p. 201-206.

Richard J.-P., Céline et Marguerite, *Critique*, n° 353, Paris, 1976, p. 919-935.

Table des matières

Imprimé en France
Imprimerie des Presses Universitaires de France
73, avenue Ronsard, 41100 Vendôme
Novembre 1993 — N° 39 485

Le
texte
rêve

OUVRAGES PARUS

Pierre Bayard, *Il était deux fois Romain Gary*
Jean Bellemin-Noël, *Le Quatrième conte de Gustave Flaubert*
Philippe Bonnefis, *Dan Yack : Blaise Cendrars phonographe*
Alain Buisine, *Les mauvaises pensées du Grand Meaulnes*
Jacques Chabot, *« Noé » de Giono ou le bateau-livre*
Gérard Cogez, *Leiris sur le lit d'Olympia*
Michel Collot, *Gérard de Nerval ou la dévotion à l'imaginaire*
Jean-Michel Delacomptée, *« La Princesse de Clèves » : La Mère et le courtisan*
Jean-Charles Huchet, *« Mort à crédit » de Céline : une naissance payée comptant*
Jean-Charles Huchet, *Tristan et le sang de l'écriture*
Gisèle Mathieu-Castellani, *Agrippa d'Aubigné. Le corps de Jézabel*
Michel Picard, *Nodier : La Fée aux Miettes, Loup y es-tu ?*

EN PRÉPARATION, DES ESSAIS SUR

Breton, *L'Amour fou* (Jean-Luc Steinmetz)
Chateaubriand, *Atala* (Pierre Glaudes)
Raymond Devos, *Textes* (Michèle Nevert)
Fénelon, *Télémaque* (Henk Hillenaar)
Gracq, *Un balcon en forêt* (Jean Bellemin-Noël)
Gaston Leroux, *Rouletabille* (Julia Bakos)
Marivaux, *Pharsamon* (Raymond Joly)
L'abbé Prévost, *Manon Lescaut* (René Démoris)
Stendhal, *Lamiel* (Philippe Berthier)